Kir
Inge

Den 3. Orkisbog

The 3rd Tatting Book
Das 3. Occhibuch

Akacia

Tidligere titler af samme forfattere
Earlier titles by the same authors
Frühere Titel gleichen Autors

Orkis (Forlaget Notabene)

Orkis - Bar' knuder (Forlaget Akacia)

Forlaget Akacia
Skovvænget 1
5690 Tommerup
Denmark

Photo: Poul Erik Nikolajsen
English translation: Poul Erik Nikolajsen
German translation: Tine Busk Petersen
Print: Søndergaard Bogtryk/Offset, Odense, 1999

ISBN: 87-7847-019-6

Forord

Orkis bliver aldrig kedelig!

Materialerne forbliver simple og billige, men mulighederne er uendelige - kun fantasien sætter grænser.

Den 3. Orkisbog blev til fordi der hele tiden var nye ideer og teknikker, der lige måtte prøves. Det blev til 40 modeller af forskellig størrelse og sværhedsgrad.

Orkismønstre videregives let via tegninger og fotografier, men da der orkeres over hele verden har vi valgt at oversætte *Den 3. Orkisbog* både til engelsk og tysk.

Vi har haft stor fornøjelse af at udarbejde bogen og det er vort håb at modellerne vil blive til glæde og inspiration for orkisudøvere i mange lande.

God fornøjelse.

Tommerup, december 1998

Preface

Tatting never becomes dull!

The materials are simple and cheap, but the possibilities are endless - limited only by the imagination.

The 3rd Tatting book was made because new ideas and techniques simply had to be tried. It resulted in 40 items of different size and difficulty.

Tatting patterns are easily passed on by diagrams and photos, but because people all over the world are tatting we have chosen to translate *The 3rd Tatting book* into English and German.

We have had great pleasure in making this book and it is our hope that the items will bring happiness and inspiration to tatters in many countries.

Happy tatting.

Tommerup, December 1998

Vorwort

Schiffchenarbeit wird nie langweilig!

Das Material ist einfach und preisswert, aber die Möglichkeiten sind unendlich - nur die Phantasie setzt Grenzen.

Das 3. Occhibuch wurde gemacht weil immer wieder neue Ideen und Techniken entstanden die einfach ausprobiert werden mußten. Hieraus entstanden 40 Modelle von verschiedener Größe und Schwierigkeitsgrad.

Schiffchenmuster werden leicht durch Zeichnungen und Fotografien weitergegeben, aber weil überall auf der Welt Schiffchenarbeit gemacht wird, haben wir beschlossen, *Das 3. Occhibuch* in englisch und deutsch zu übersetzen.

Wir hatten viel Spaß während der Ausarbeitung dieses Buches, und wir hoffen, daß die Muster zur Freude und Inspiration für Schiffchen-Enthusiasten in vielen Ländern führen.

Viel Vergnügen.

Tommerup, Dezember 1998

Introduktion

Den basale orkisteknik (også for venstrehåndede) samt de mere specielle orkisteknikker er beskrevet i ord og tegninger og samlet foran i bogen.
Modellerne er gengivet i mønstertegninger og fotografier samt evt. supplerende tekst.
Med hensyn til de anvendte hækleteknikker henvises til bøger og blade om emnet.
Hvor der er brugt to orkisskytter benævnes de skytte 1 og skytte 2. Skytte 2 er altid hjælpetråden der danner knuderne i buerne.
Til nogle modeller er der anvendt en skabelon. En skabelon er et lille stykke karton som lægges mellem orkistrådene for at få ensartede picot'er af en bestemt størrelse. Skabelonens bredde (= den dobbelte picotstørrelse) angives i mønsterteksten.

Tip til nybegyndere:
Er man nybegynder i orkis, er det en god ide at begynde med at orkere buer som vist på figur 5, gerne med to forskellige farver garn. Knuderne skal dannes af hjælpetråden (skytte 2) og vil derfor få dennes farve.

Introduction

The basic tatting technique (also for left handed persons) plus the more specialised techniques are described in words and drawings on the first pages in the book.
The items are shown in drawings and with photos and there may be a short description.
Refer to relevant books and magazines regarding the used crochet techniques.
When two shuttles are used they are named shuttle 1 and shuttle 2. Shuttle 2 is always the ball thread used to make knots in chains.
A template is used in some patterns. A template is a small piece of card used to place between the threads to make uniform picots. The templates width (= double picot size) are specified in the text.

Tip for beginners:
It is a good idea, if you are a beginner to tatting, to start by making chains as shown in figure 5. It is also a good idea to use threads in two different colours. The stitch has to be made by the ball thread (shuttle 2) and will by in that colour.

Einleitung

Die grundlegende Schiffchentechnik (auch für Links-Händler) und die besondere Occhi-Technik sind in Wort und Zeichnung zu Anfang des Buches illustriert.
Die Modelle sind in Mustern und Photographien sowie mit erläuterndem Text wiedergegeben. Mit Hinblick auf die angewandten Häkel-Techniken wird auf Bücher und Zeitschriften dieses Themas hingewiesen.
Wo man 2 Schiffchen benutzt, werden diese Schiffchen 1 und Schiffchen 2 benannt. Schiffchen 2 wird immer für den Hilfsfaden benutzt, das die Knoten in den Bögen gestaltet.
Für einige Muster wird eine Schablone benutzt. Eine Schablone ist ein kleines Stück Karton, das zwischen den Schiffchenfäden angebracht wird, um gleichmäßige Ösen von einer bestimmten Größe zu erhalten. Die Breite der Schablone (die doppelte Ösen-größe) ist in dem Text für das Muster angegeben.

Tip für Anfänger:
Wenn man Anfänger in der Schiffchenarbeit ist, sollte man mit den Bögen, wie auf Bild 5 anfangen, am besten mit zwei verschiedenen Farben Garn. Der Knoten soll aus dem Hilfsfaden (Schiffchen 2) entstehen und wird deshalb die Farbe dieses Fadens bekommen.

Tegnforklaring - Explanation of symbols - Ziechenerklärung

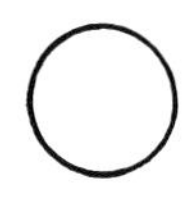

= orkeret ring
= tatted ring
= Occhierter Ring

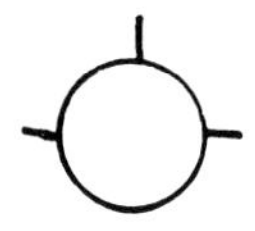
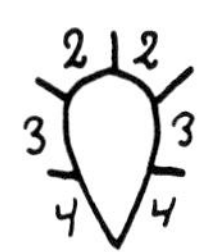

= picot'er til sammenføjning og pynt. Tallene er antal af dobbeltknuder.
= picots for joining or ornamentation. The figures are the number of double stitches.
= Ösen für das Zusammenfügen und den Schmuck. Die Zahlen sind Anzahl der Doppelknoten.

= orkerede ringe og buer
= tatted rings and chains
= occhierte Ringe und Bögen

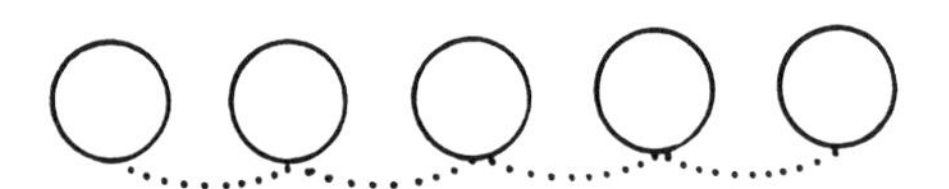

= ringe forbundet med enkelt tråd
= rings joined by single thread
= Ringe, mit Einzelfaden verbunden

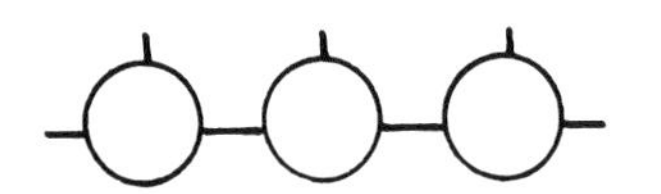

= sammenføjning af picot'er i samme omgang
= joining of picots in same round
= Zusammenfügen von Ösen, in der gleichen Runde

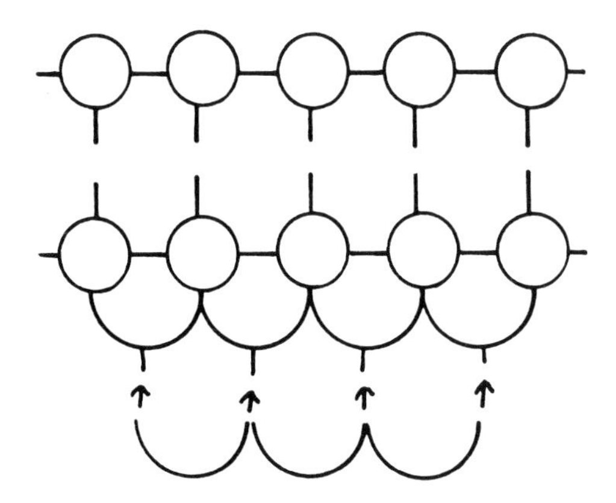

= sammenføjning af omgange (picot'er peger mod hinanden)
= joining of rounds (picots pointing at each other)
= Zusammenfügung von Runden (Ösen weisen aufeinanden hin)

= pilene angiver tilhæftning af buer
= the arrows mark where to join the chains
= Die Pfeile zeigen die Besfestigung der Bögen

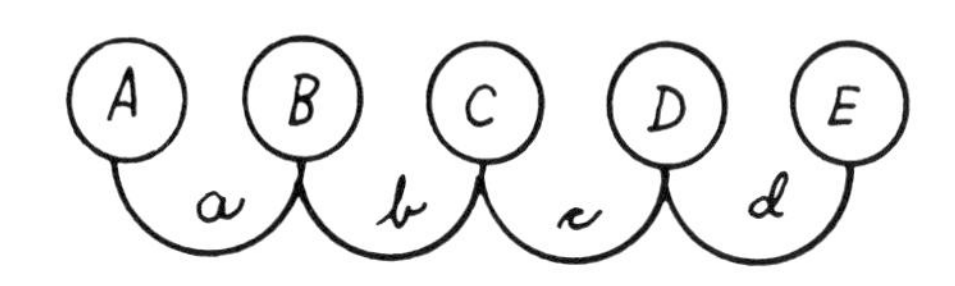

= A B C D E rækkefølge af ringe
a b c d rækkefølge af buer
= A B C D E succession of rings
a b c d e succession of chains
= A B C D Reihenfolge der Ringe
a b c d e Reihenfolge der Bögen

= gentagelse af mønster
= repetition of design
= Wiederholung eines Musters

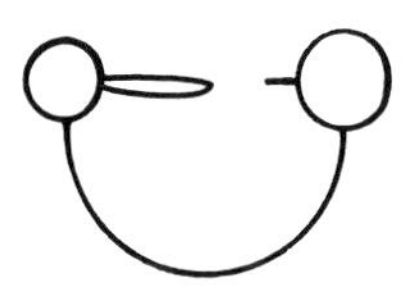

= lang picot hvor længden er udmålt ved hjælp af skabelon
= long picot where the length is measured with a template
= lange Öse, wo die Länge an Hand der Schablone ausgemessen ist

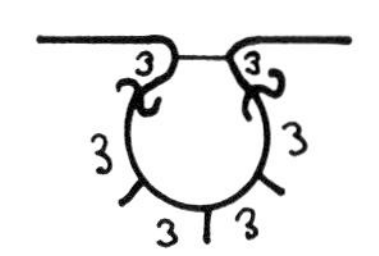

= ved ~ byttes orkisskytterne
= exchange shuttles at ~
= Bei ~ werden die Schiffchen umgetauscht

= spiralsnor
= spiral cord
= Spiralschnur

= picot med perle
= picot with bead
= Öse mit Perle

= ring med rulleknude
= ring with roll stitches
= Ring mit Roll-knoten

= josefineknude
= Josephine knot
= Josefinenknoten

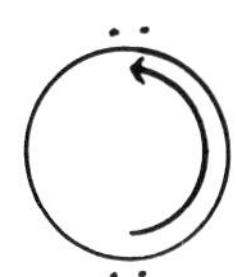

= splitring
= split ring
= Splitring

= vævet plet
= cluny tatting
= gewebter Fleck

= sted for isætning af clips, enten ved arbejdets begyndelse eller ved dannelse af mellemrum
= place to put in a paper clip either at the start of the work or to make an interval between the stitches
= Plazierung der Büroklammer, sowie am Anfang der Arbeit, als auch beim Entstehen eines Zwischenraums

= dobbelt picot
= double picot
= doppelte Öse

= orkeret firkant
= tatted square
= orkierter Viereck

Teknik

Orkisknuden består af 2 halve knuder som vender mod hinanden og tilsammen udgør en dobbeltknude.

Technique

Tatting knots consist of two half knots, a left half and a right half. Together they make a double stitch.

Technik

Der Schiffchenknoten besteht aus 2 halben Knoten, die sich gegeneinander wenden und zusammen einen Doppelknoten bilden.

Venstre knudehalvdel Figur 1

Læg tråden om venstre hånds fingerspidser og hold den fast med tommel- og pegefinger, men dog ikke fastere end at tråden kan glide mellem fingrene. Langfingeren og ringfingeren, som tråden ligger omkring skal kunne trække i tråden og øge løkkens størrelse.

The left half of the knot Figure 1

Place the thread around the left hand's finger tips and keep it firm with thumb and forefinger, but not firmer than the thread can slide between the fingers. The middle finger and the third finger, as the thread are placed around must be able to pull the thread to increase the size of the loop.

Linke Knotenhälfte Bild 1

Den Faden um die Fingerspitzen der linken Hand legen und ihn mit dem Daumen und dem Zeigefinger festhalten, jedoch nicht fester als das der Faden zwischen den Fingern gleiten kann.

Der Mittelfinger und Ringfinger, um die der Faden liegt, müssen an dem Faden ziehen können um den Ring vergrößern zu können.

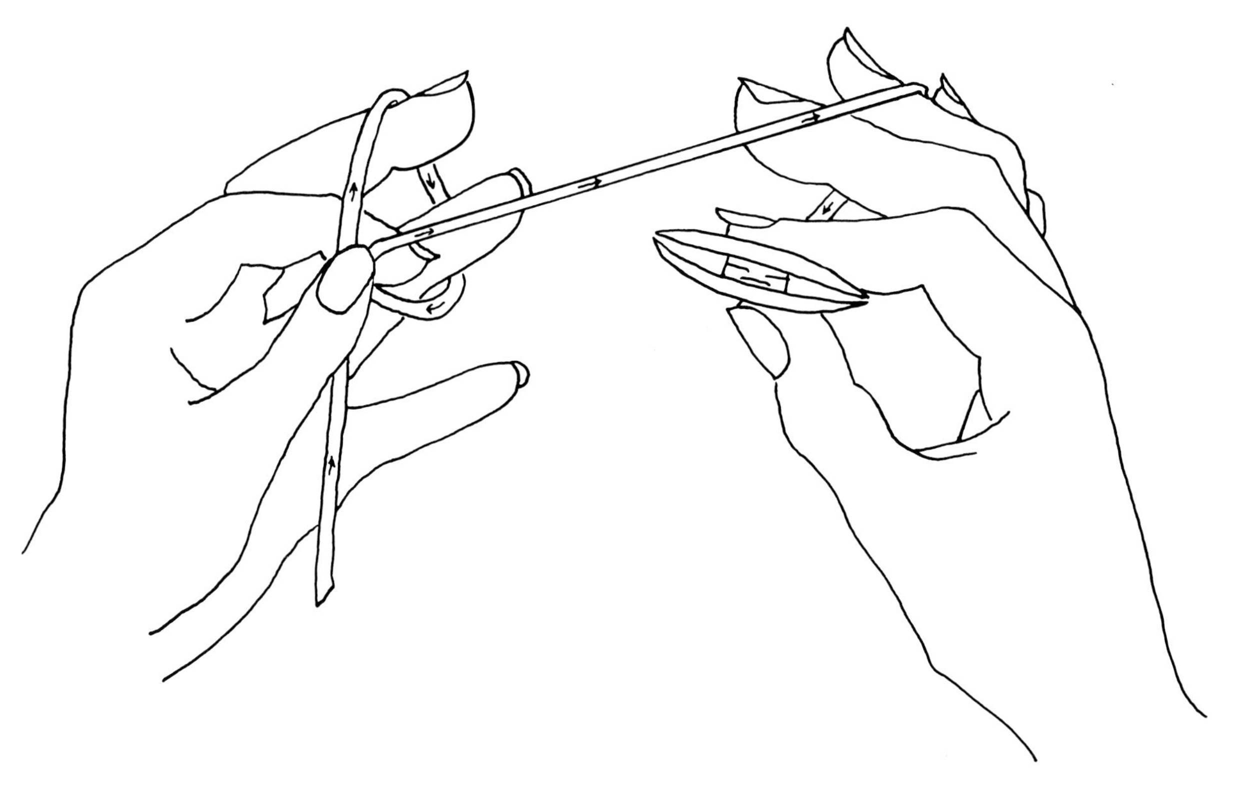

Figur 2

Med orkisskytten slås en løkke under venstre hånds tråd.

Figure 2

Make a loop with the shuttle under the left hand thread.

Bild 2

Mit dem Schiffchen eine Schlinge unter den Faden der linken Hand machen.

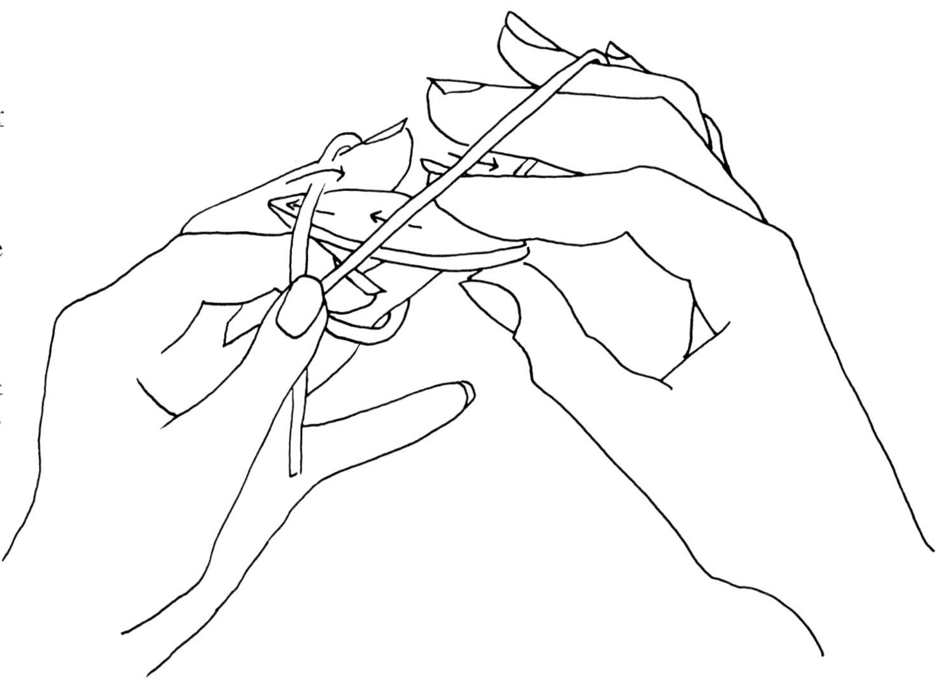

Figur 3

Løsn grebet i venstre hånds lang- og ringfinger og træk i orkisskytten, herved „springer" løkken over på den modsatte tråd. Tråden i skytten holdes stram, og ved hjælp af langfingeren trækkes knuden ned mellem tommel- og pegefinger.

Figure 3

Release the grip in the left hands middle and third fingers and pull the shuttle. This makes the loop transfer to the other thread. Keep the thread in the shuttle firm and pull the knot down between thumb and forefinger with the help of the left hand's middle finger.

Bild 3

Den Griff vom linken Mittel- und Ringfinger lockern und den Faden des Schiffchens strammziehen, hierbei „springt" die Schlinge auf den entgegengesetzten Faden. Den Schiffchenfaden stramm halten und mit Hilfe des Mittelfingers den Knoten nach unten ziehen so das er zwischen Daumen und Zeigefinger liegt.

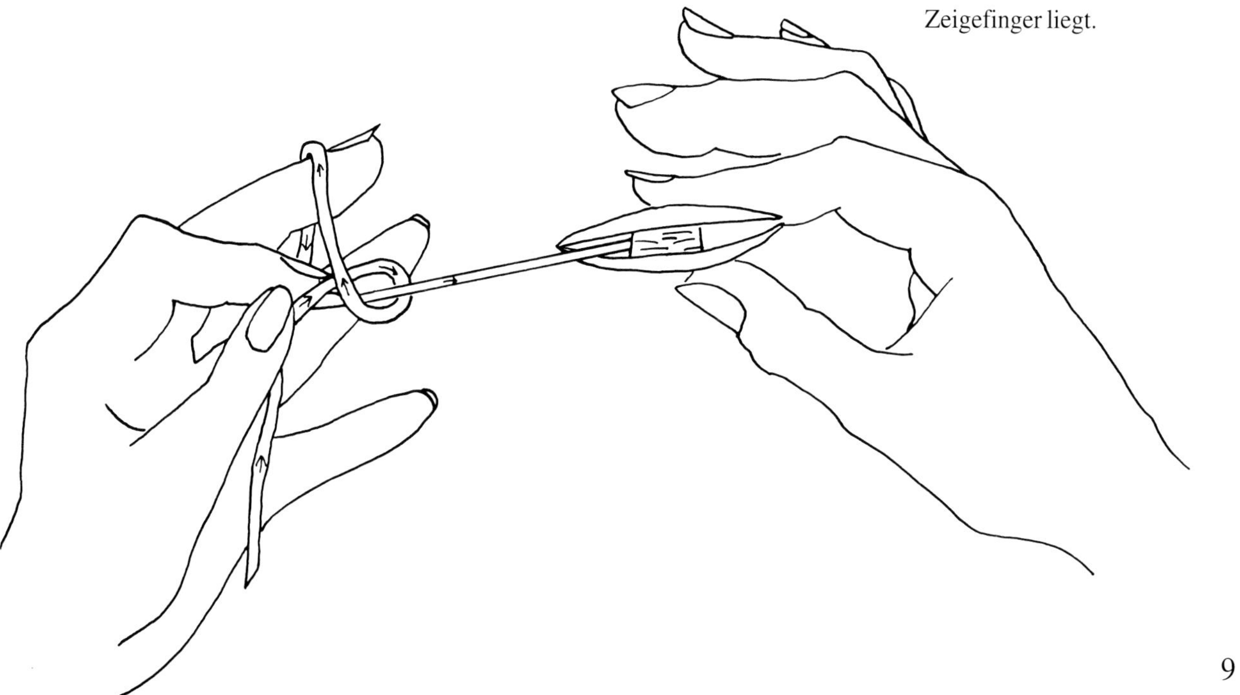

Højre knudehalvdel Figur 4

Med orkisskytten slås en løkke over venstre hånds tråd.
Løsn grebet i venstre hånd, træk i orkisskytten og læg knuden ned på samme måde som ved venstre knudehalvdel. Når ringen er orkeret vendes arbejdet, og buen orkeres med hjælpetråden.

The right half of the knot Figure 4

With the shuttle make a loop over the left hand thread.
Release the grip in the left hand and pull the tatting shuttle, transferring the knot in the same way as with the left half of the knot. When the ring is made, turn the work around and work the chain with the thread from the ball.

Rechte Knotenhälfte Bild 4

Mit dem Schiffchen eine Schlinge über den Faden der linken Hand machen. Den Griff in der linken Hand lockern, am Schiffchen ziehen und den Knoten nach unten legen, wie bei der Anfertigung der linken Knotenhälfte. Wenn der Ring occhiert ist, die Arbeit umdrehen und den Bogen durch Hilfe des Fadens (vom Knäuel) occhieren.

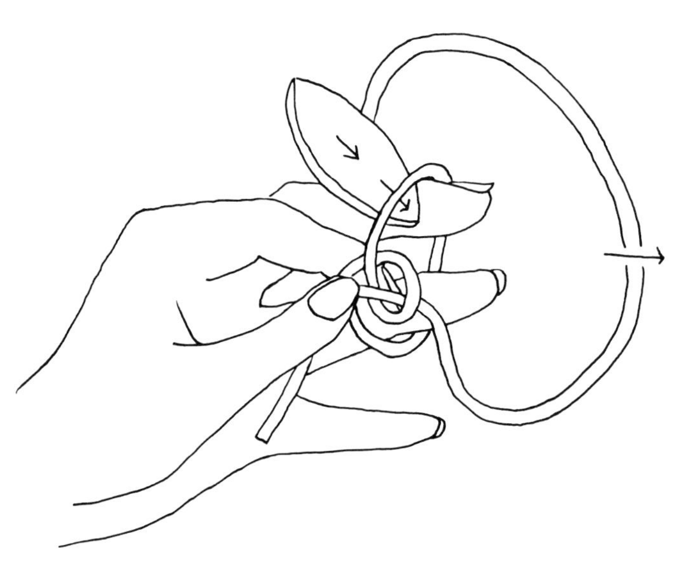

Figur 5: Bue.

Buer orkeres med hjælpetråd fra nøgle eller skytte 2.
Læg hjælpetråden om fingerne som vist på tegningen. Knuderne skal dannes af hjælpetråden.

Figure 5: Chains

Chains are made with thread directly from the ball or shuttle 2.
Put the ball tread around the fingers as shown on the diagram. The stitches is made by the ball thread.

Bild 5: Bogen

Bögen werden mit Hilfsfaden vom Knäuel oder Schiffchen 2 occhiert.
Den hilfsfaden um die Finger legen, wie die Zeichnung zeigt. Die Knoten werden durch den Hilfsfaden gebildet.

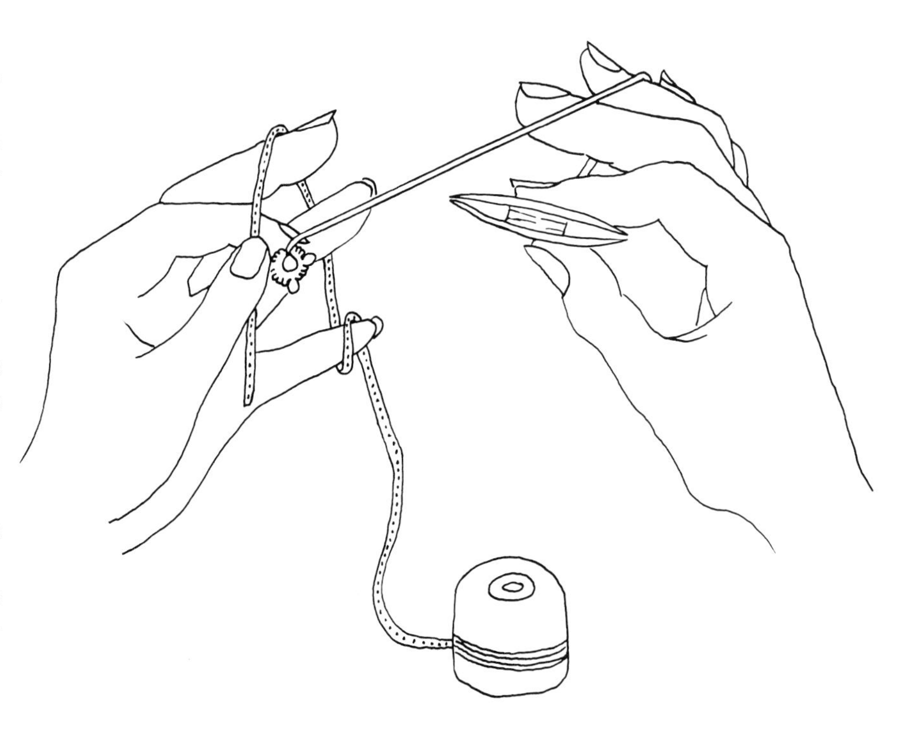

Teknik for venstrehåndede Højre knudehalvdel Figur 1A

Læg tråden om højre hånds fingerspidser og hold den fast med tommel- og pegefinger, men dog ikke fastere end at tråden kan glide mellem fingrene. Langfingeren og ringfingeren, som tråden ligger omkring skal kunne trække i tråden og øge løkkens størrelse.

The technique for left handed people The left half of the knot Figure 1A

Place the thread around the right hand's finger tips and keep it firm with thumb and forefinger, but not firmer than the thread can slide between the fingers. The middle finger and the third finger, as the thread are placed around must be able to pull the thread to increase the size of the loop.

Technik für Linkshändler Rechte Knotenhälfte Bild 1A

Den Faden um die Fingerspitzen der rechten Hand legen und ihn mit dem Daumen und dem Zeigefinger festhalten, jedoch nicht fester als daß der Faden zwischen den Fingern gleiten kann.
Der Mittelfinger und Ringfinger, um die der Faden liegt, müssen an dem Faden ziehen können und den Ring vergrößern zu können.

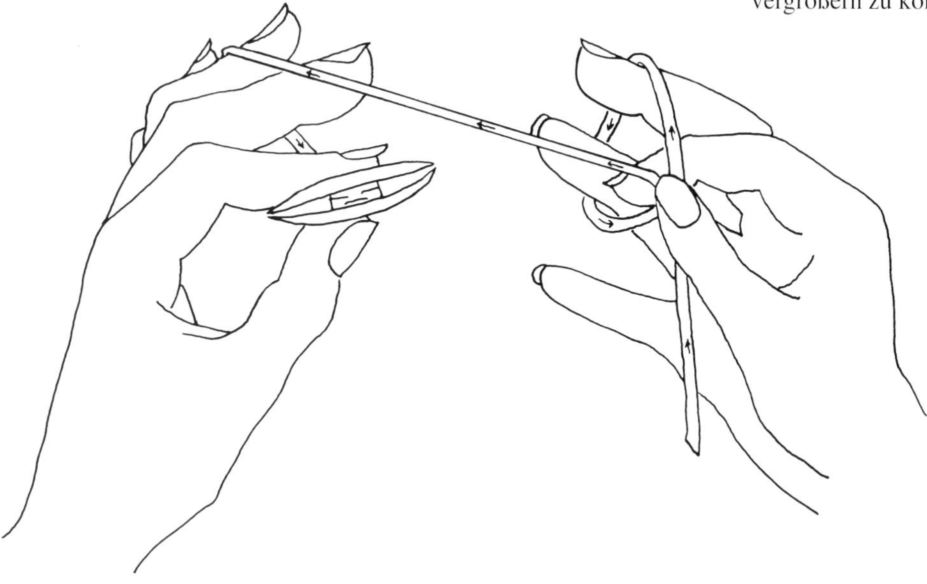

Figur 2A

Med orkisskytten slås en løkke under højre hånds tråd.

Figure 2A

Make a loop with the shuttle under the right hand thread.

Bild 2A

Mit dem Schiffchen eine Schlinge unter den Faden der rechten Hand machen.

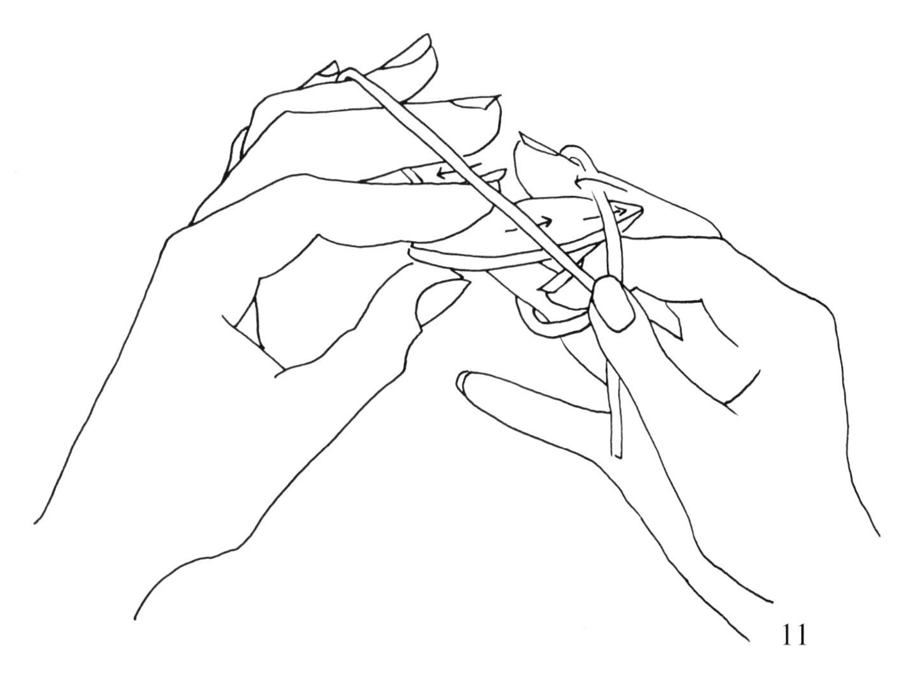

Figur 3A

Løsn grebet i højre hånds lang- og ringfinger og træk i orkisskytten, herved „springer" løkken over på den modsatte tråd. Tråden i skytten holdes stram, og ved hjælp af langfingeren trækkes knuden ned mellem tommel- og pegefinger.

Figure 3A

Release the grip in the right hand's middle and third finger and pull the shuttle. This makes the loop transfer to the other thread. Keep the thread in the shuttle firm and pull the knot down between thumb and forefinger with help of the right hand's middle finger.

Bild 3A

Den Griff vom rechten Mittel- und Ringfinger lockern und den Faden des Schiffchens stramm ziehen, - hierbei „springt" die Schlinge auf den entgegengesetzten Faden. Den Schiffchenfaden stramm halten und mit Hilfe des Mittelfingers den Knoten nach unten ziehen, so daß er zwischen Daumen und Zeigefinger liegt.

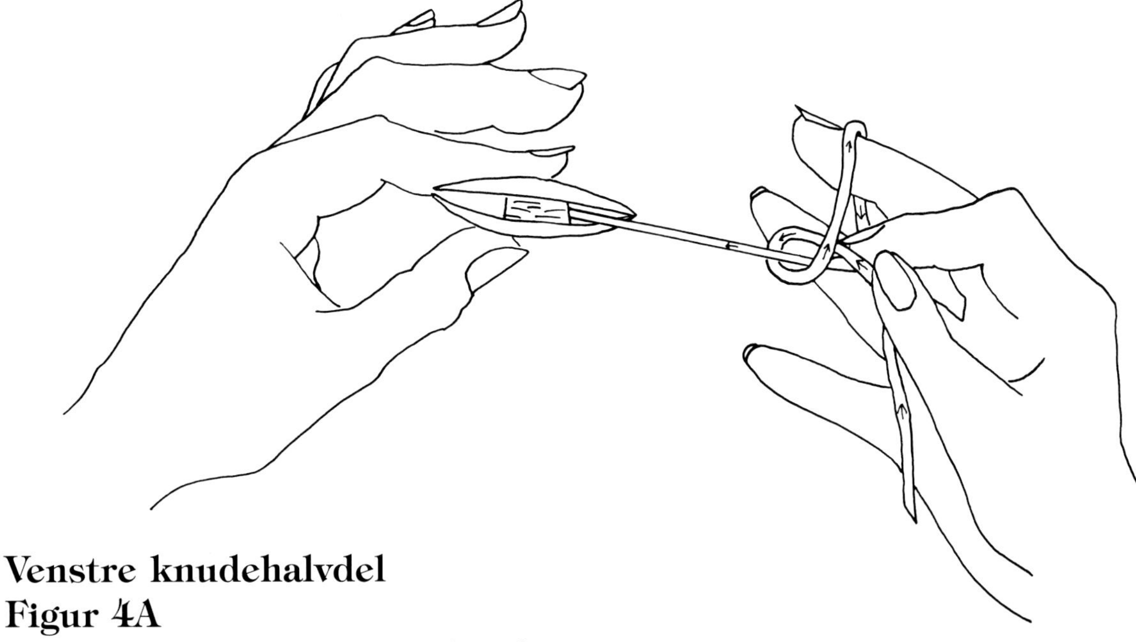

Venstre knudehalvdel
Figur 4A

Med orkisskytten slås en løkke over højre hånds tråd.
Løsn grebet i højre hånd, træk i orkisskytten og læg knuden ned på samme måde som ved højre knudehalvdel. Når ringen er orkeret vendes arbejdet og buen orkeres med hjælpetråden.

The right half of the knot
Figure 4A

With the shuttle make a loop over the right hand's thread. Release the grip in the right hand and pull the tatting shuttle, transferring the knot in the same way as with the left half of the knot. When the ring is made, turn the work around and work the chain with the thread from the ball.

Linke Knotenhälfte
Bild 4A

Mit dem Schiffchen eine Schlinge über den Faden der rechten Hand machen. Den Griff in der rechten Hand lockern, am Schiffchen ziehen und den Knoten nach unten legen, wie bei der Ausfertigung der rechten Knotenhälfte. Wenn der Ring occhiert ist, die Arbeit umdrehen und den Bogen durch Hilfe des Fadens (vom Knäuel) occhieren.

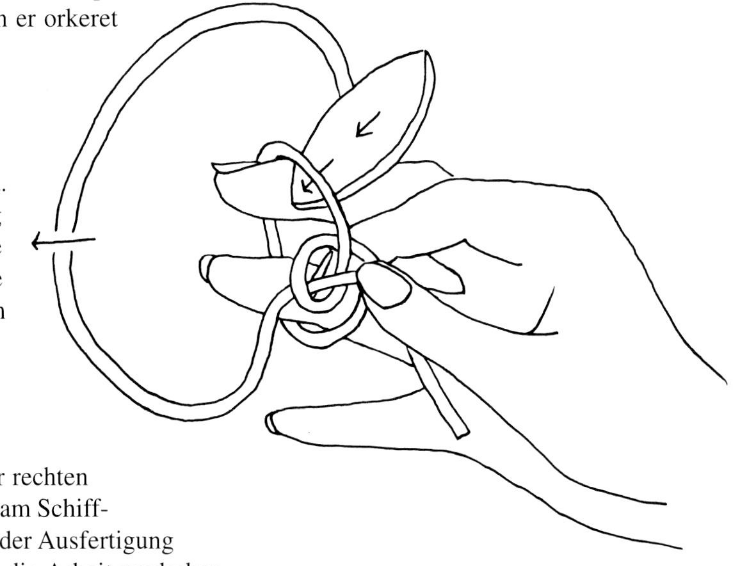

Figur 5A: Bue

Buer orkeres med hjælpetråd fra nøgle eller skytte.
Læg hjælpetråden om fingerne som vist på tegningen. Knuderne skal dannes af hjælpetråden.

Figure 5A: Chains

Chains are made with thread directly from the ball or shuttle.
Put the ball tread around the fingers as shown on the diagram. The stitches is made by the ball thread.

Bild 5A: Bogen

Bögen werden mit Hilfsfaden vom Knäuel oder Schiffchen occhiert.
Den hilfsfaden um die Finger legen, wie die Zeichnung zeigt. Die Knoten werden durch den Hilfsfaden gebildet.

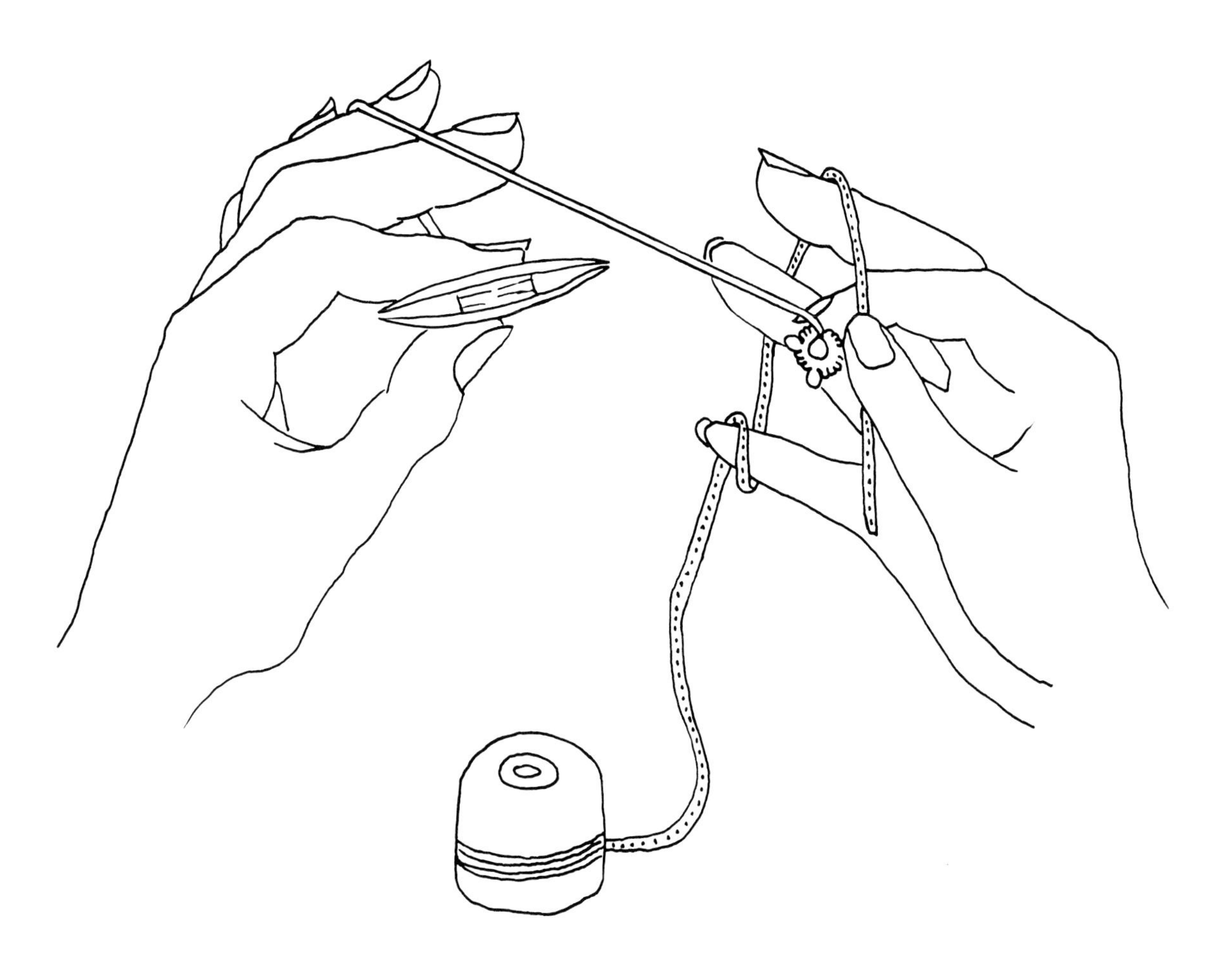

Figur 6: Picot

En picot er en kortere eller længere afstand mellem to dobbeltknuder og bruges til pynt og sammenføjning.

Figure 6: Picot

A picot is a shorter or longer space between two double stitches and is used for ornamentation and joining.

Bild 6: Öse

Eine Öse ist ein kürzerer oder längerer Abstand zwischen zwei Doppelknoten und wird als Schmuck und Zusammenfügung gebraucht.

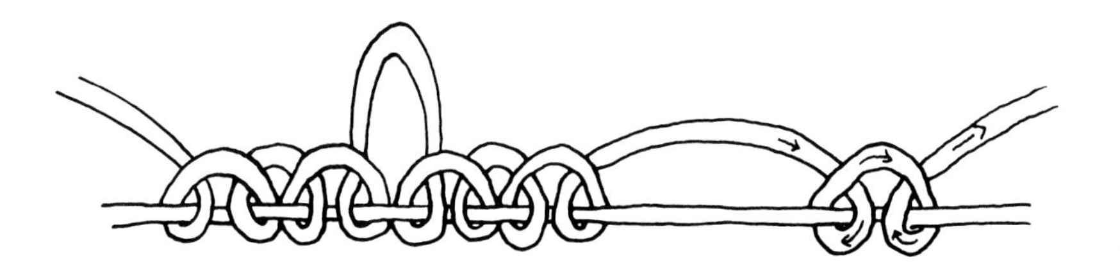

Figur 7: Sammentrækning af ring

Når det ønskede antal dobbeltknuder er orkeret, trækkes der i orkisskytten og knuderne samles til en ring.

Figure 7: To close a ring

Work a series of double stitches and when the desired number of double stitches are worked, pull on the tatting shuttle and the knots become a ring.

Bild 7: Zuziehen des Ringes

Wenn die erwünschte Anzahl Doppelknoten occhiert ist, am Schiffchenfaden ziehen und die Knoten wie einen Ring zuziehen.

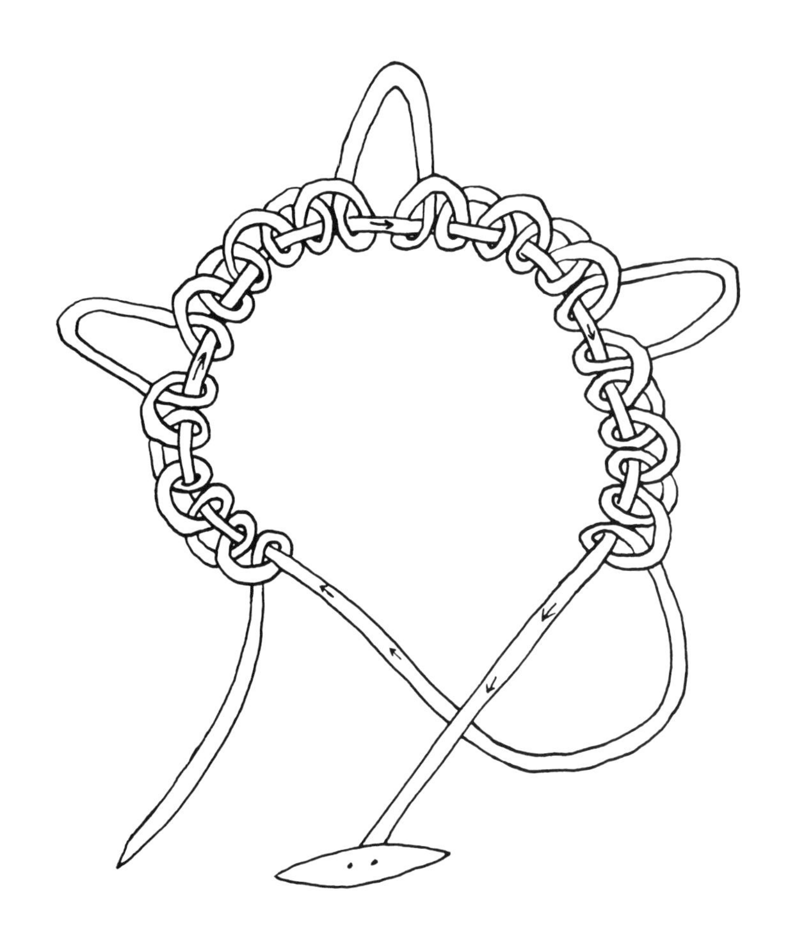

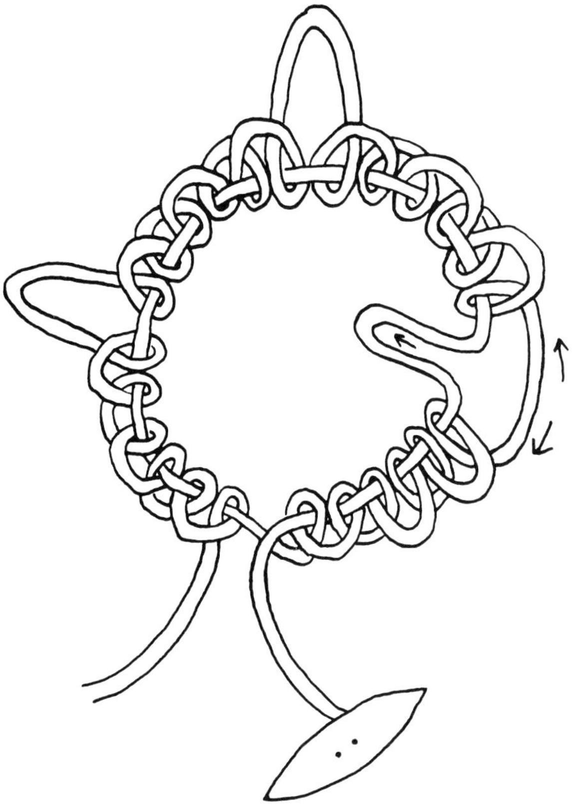

Figur 8: Åbning af ring

Ved „fejlorkering" kan en ring åbnes i en picot, hvorefter der trækkes i indertråden med en pincet.

Figure 8: The opening of a ring

The correction of a mistake in tatting; a ring can be opened at a picot, after which the inner thread can be pulled with a pair of tweezers.

Bild 8: Öffnung eines Ringes

Bei „Fehlocchierung" den Ring in der Öse öffnen, und an dem Innerfaden mit einer Pinzette ziehen.

Figur 8: Sammenføjning af ringe

Tråden trækkes gennem picot'en ved hjælp af en hæklenål.

Figure 8: Joining rings

The thread is pulled through a picot with the help of a crochet hook.

Bild 8: Ringe zusammenfügen

Den Faden mit Hilfe einer Häkelnadel durch die Öse ziehen.

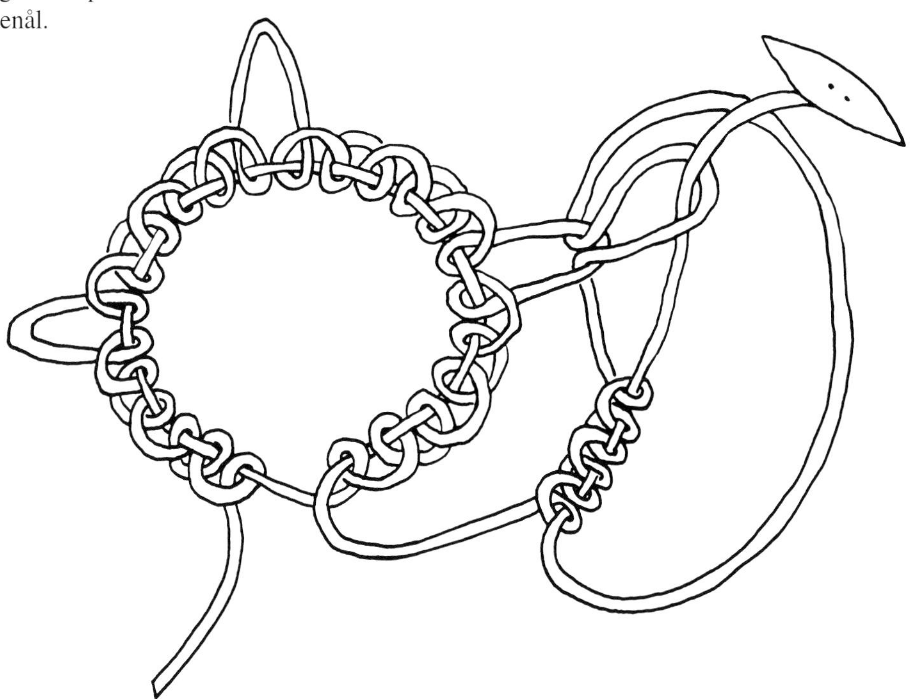

Figur 10: Tilhæftning af bue

Tråden trækkes gennem picot'en ved hjælp af en hæklenål.
Buen kan også tilhæftes som på figur 11.

Figure 10: To join a chain

The thread is pulled through a picot with the help of a crochet hook.
The chain can also be joined as shown on figure 11.

Bild 10: Befestigen eines Bogens

Mit Hilfe von einer Häkelnadel den Faden durch die Öse ziehen.
Der Bogen kann auch befestigt werden, wie auf Bild 11.

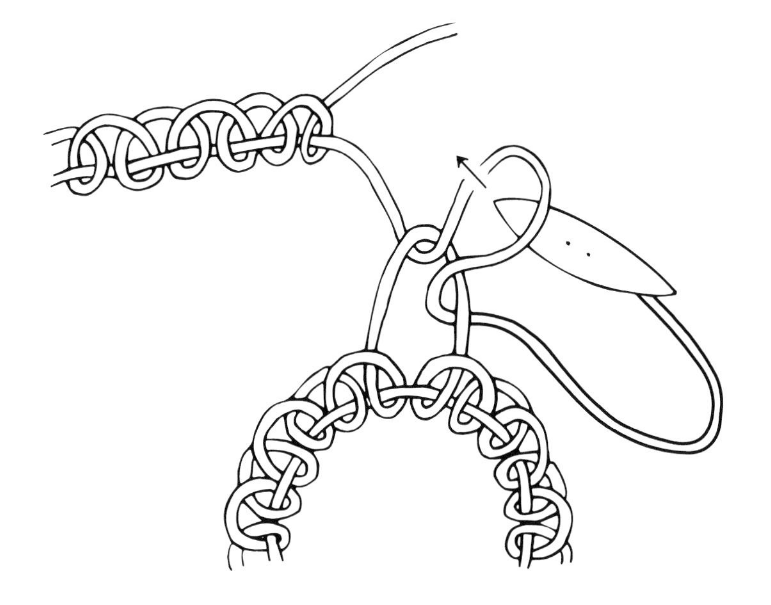

Figur 11: Tilhæftning af bue på lommetørklæde

Tråden trækkes gennem hulkanten på lommetørklædet ved hjælp af en hæklenål.
Buen kan også tilhæftes som på figur 10.

Figure 11: To join a chain to a handkerchief

The thread is pulled through a hole in the edge of the handkerchief with the help of a crochet hook.
The chain can also be joined as shown on figure 10.

Bild 11: Befestigen eines Bogens

Mit Hilfe von einer Häkelnadel den Faden durch die Öse ziehen.
Der Bogen kann auch befestigt werden wie auf Bild 10.

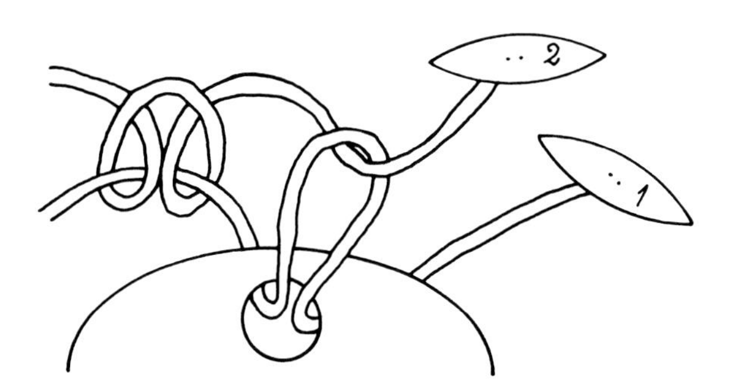

Figur 12: Sammenføjning af motiv

Det færdige arbejde foldes bag om mod venstre, picot'en på ring A drejes og derefter føjes sammen som vanligt.

Figure 12: The addition of a motif

The finished work folds over backwards to the left, the picot on ring A is turned around and afterwards joined as normal.

Bild 12: Zusammenfügen eines Motivs

Die fertige Arbeit links, nach hinten umbeugen, die Öse am Ring A drehen und danach zusammenfügen wie vorher.

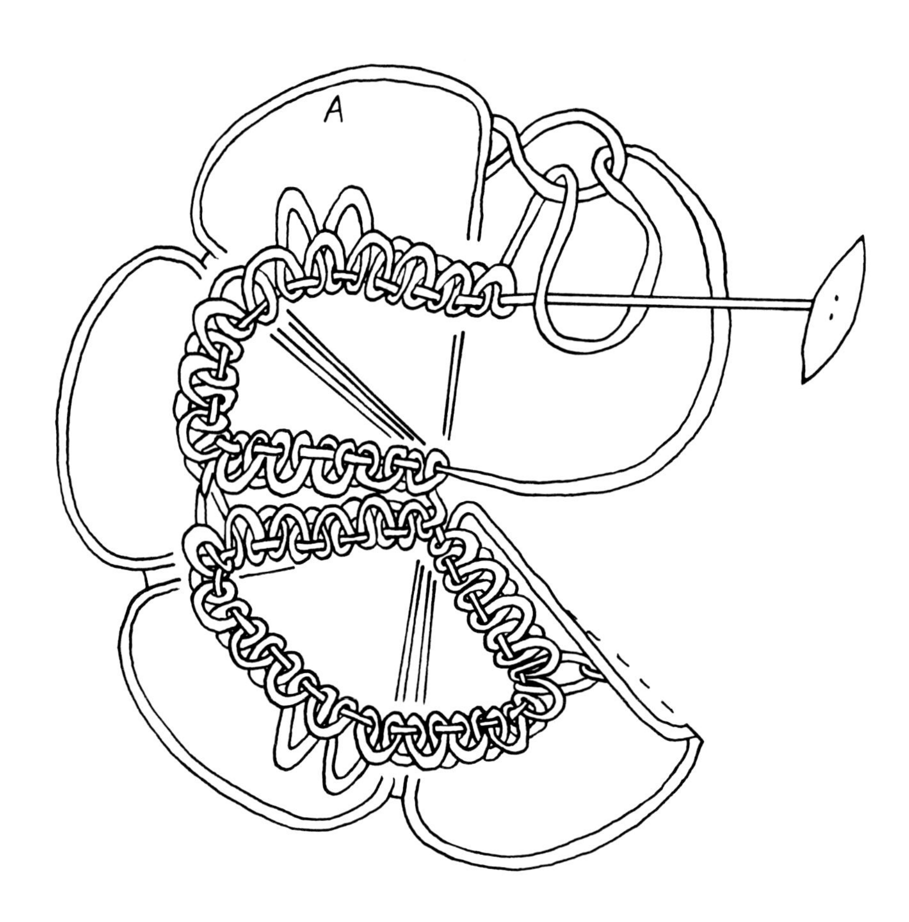

Figur 13 og 14:
Isætning af clips

For at undgå trådender kan man begynde et orkisarbejde med isætning af clips. Derved dannes en lille løkke til brug ved senere tilhæftninger.

Figure 13 and 14:
Paper clips

Start the work with a paper clip to avoid thread ends. The paper clip makes a little loop that can be used for a later joinings.

Bild 13 und 14:
Einsatz von Büroklammern

Um Faden enden zu vermeiden, die Arbeit mit einer Büroklammer anfangen. Dadie bildet sich eine Schlinge, die für spätere Befestigungen gebraucht werden kann.

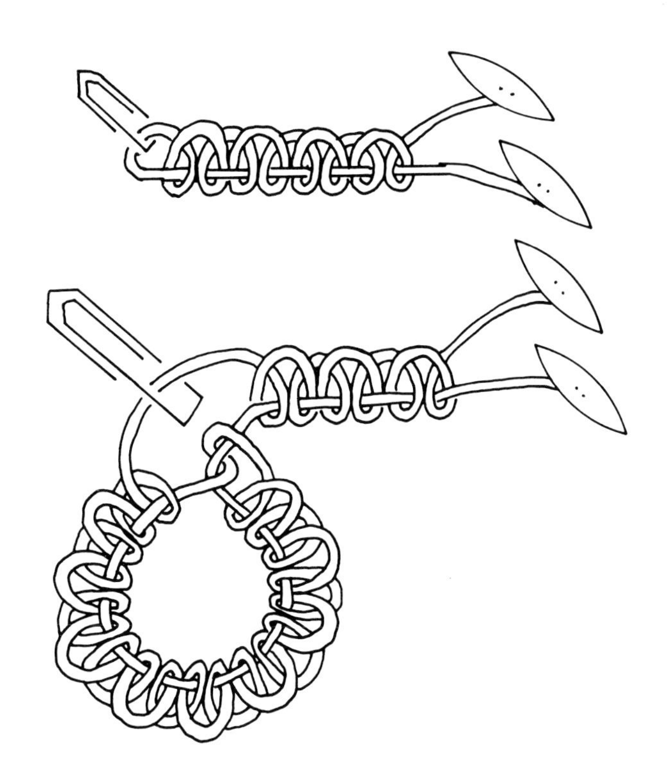

Figur 15:
Hæftning af ender i afsluttet ring.

Læg en clips om begyndelsestråden og før ved hjælp af en hæklenål garnenden ind i de første dobbeltknuder.

Ved afslutningen lægges en dobbelt tråd af samme tykkelse ind i de sidste knuder. Ringen trækkes sammen som vanligt, garnet brydes. Clipsen fjernes, den fremkomne løkke bindes sammen med afslutningstråden. Træk løkken til, og ved hjælp af den indlagte tråd trækkes afslutningstråden ind i de sidste knuder.

Figure 15:
Fastening of ends at a closed ring.

Place a paper clip around the starting thread and use a hook to lead the thread end through the first double stitches.

At the end place a thin doubled thread into the last double stitches. Close the ring as usual and break the thread. Remove the paper clip and tie the broken thread to this loop. Pull the loop tight and by use of the double thread pull the broken thread back through the last stitches.

Bild 15:
Befestigung der Enden in einem abgeschlossenen Ring.

Eine Klammer um den Anfangsfaden legen und mit Hilfe einer Häkelnadel das Fadenende in die ersten Doppelknoten führen.

Beim Abschluß einen doppelten Faden in der selben Stärke in die letzten Knoten legen. Den Ring wie üblich sammenziehen, den Faden abschneiden. Die Klammer entfernen, und die ergebene Schlinge mit dem Abschlussfaden zusammen binden. Die Schlinge zuziehen und mit Hilfe des eingelegten Fadens den Abschlussfaden in die letzten Knoten hineinziehen.

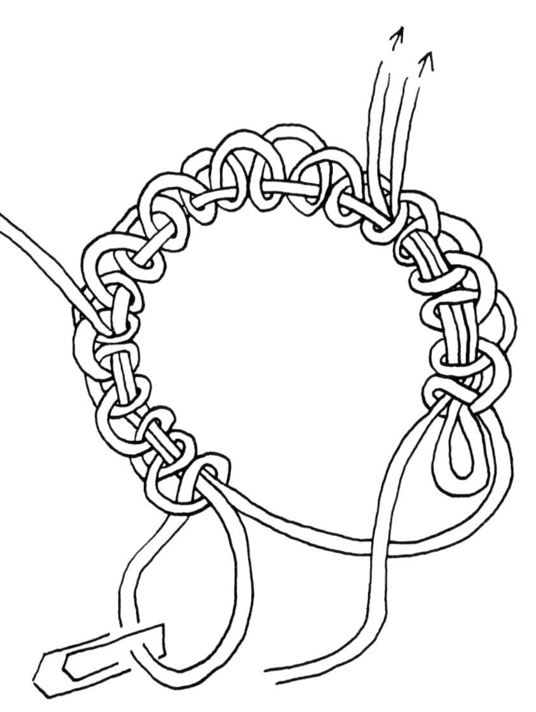

Figur 16: Afslutning af omgang og hæftning af ender

Omgangen er startet med isætning af clips.
Ind i de sidste fire knuder lægges en dobbelt tråd af samme tykkelse, og ind i de sidste tre knuder lægges desuden en dobbelt tynd sytråd.
Garnet brydes, clipsen fjernes, den ene tråd trækkes gennem den lille løkke hvor clipsen har siddet, trådene bindes sammen, og garnenderne trækkes ind i knuderne ved hjælp af de indlagte tråde; den tykke tråd trækkes ud først.

Figure 16: Fastening of ends at end of round

Place a paper clip at the start of the work.
Place a normal double thread into the last four stitches and a thin double sewing thread into the last three stitches.
Break the threads, remove the paper clip, pull one of the thread ends though the small loop at the paper clip and tie the ends together. The thread ends are pulled back into the stitches by use of the inlaid threads. The thick thread is pulled out first.

Bild 16: Abschluß einer Runde und Befestigung der Enden

Die Runde mit dem Einsetzen der Klammer anfangen. In den letzten 4 Knoten einen Doppelfaden in der selben Stärke einlegen, und in den letzten 3 Knoten außerdem einen doppelten Zwirn hineinlegen. Den Faden abschneiden, die Klammer entfernen, den einen Faden durch die kleine Schlinge ziehen, wo die Klammer montiert war, die Fäden zusammenbinden und die Fadenenden mit Hilfe der eingelegten Fäden in die Knoten hineinziehen; den dickeren Faden zuerst hinausziehen.

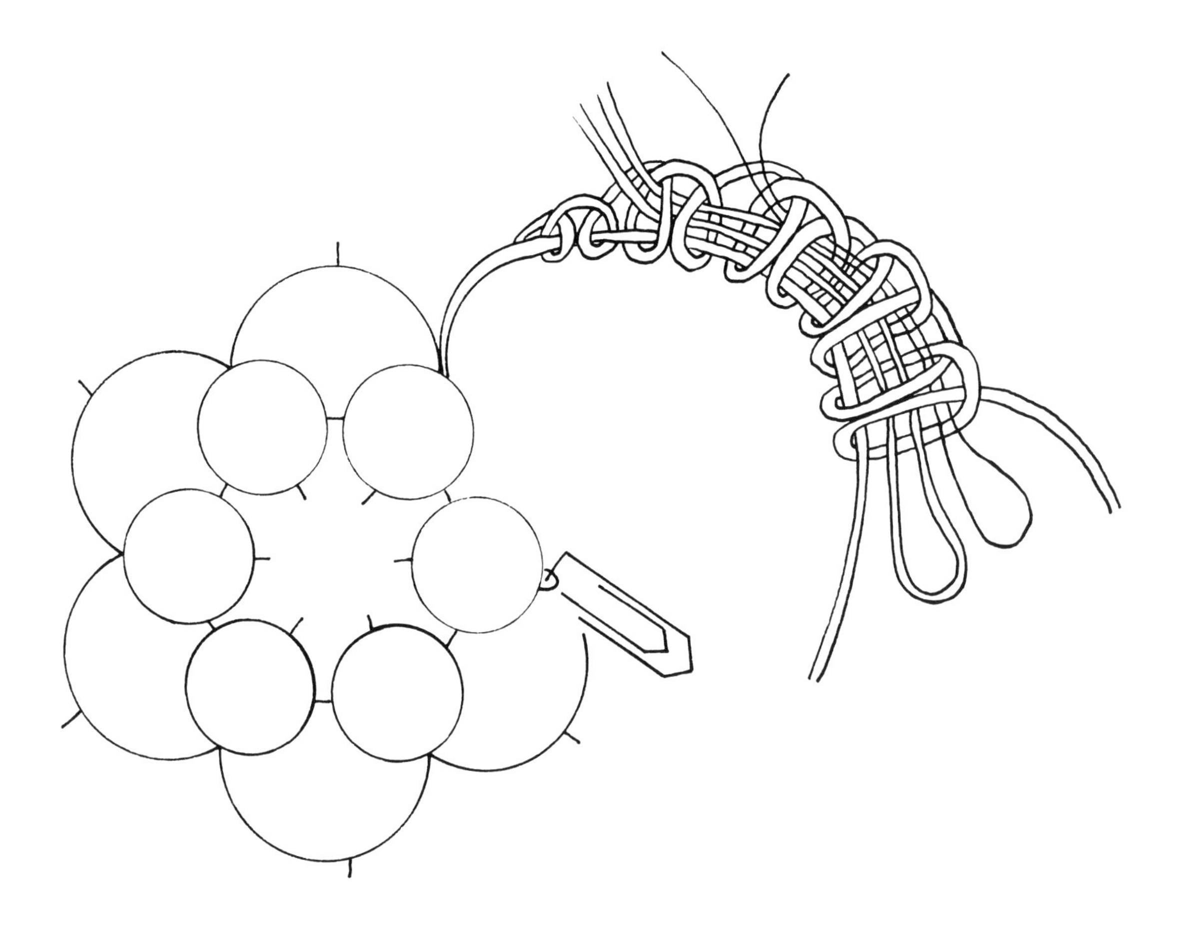

Figur 17: Øgning af tråd

Når tråden skal øges bindes enderne sammen helt nede ved ringen. Enderne lægges derefter ind langs indertråden i de næste 3-4 knuder, inden de klippes af.

Figure 17: To renew the thread

When the thread needs to by renewed tie the ends together very close to the ring. Place the ends along the inner tread. Make 3-4 stitches and cut off the ends.

Bild 17: Verlängern eines Fadens

Um den Faden zu verlängern, die Enden ganz dicht an dem Ring zusammenbinden. Danach die Enden lange des Innerfadens in den nächsten 3 bis 4 Knoten legen, und danach abschneiden.

Figur 18 og 19: Ret- og vrangside

Et orkisarbejde kan orkeres med ret- og vrangside. Det vil sige at både ringe og buer begynder og slutter med en hel knude på retsiden. På vrangsiden derimod begynder og slutter ringe og buer med en halv knude. Husk at tælle knuderne på retsiden.

Figures 18 and 19: Right and wrong side

A tatted piece can be tatted with right and wrong sides. On the right side both rings and chains will start and end with a double stitch. The wrong side will start and end with a half stitch. Remember to count the stitches on the right side.

Bild 18 und 19: Rechte und Linke Seite

Eine Schiffchenarbeit kann mit einer rechten und linken Seite occhiert werden. Das heißt, daß sowie Ringe als Bögen mit einem ganzen Knoten auf der rechten Seite angefangen und abgeschossen werden.

Retside - Right side - Rechte Seite

Vrangside - Wrong side - Linke Seite

Figur 20 og 21: Splitring

Orker først en ring med skytte 1. Splitringen orkeres i to halvdele med hver sin skytte. Ringens venstre side påbegyndes og orkeres på vanlig vis med skytte 1. Tag tråden af fingrene og læg den modsat om igen. Orker ringens højre side med skytte 2. På mønstertegningerne angiver pilen ringens højre side der består af omvendte knuder dannet af skyttetråden. Husk at begynde de omvendte knuder med højre knudehalvdel. Ringen trækkes sammen med skytte 1.

Figures 20 and 21: Split rings

Tat the ring in two parts using both shuttles. Start with the left side of the ring and work as usual with shuttle 1. Take the work off the hand. Turn the ring, and work the right side of the ring using shuttle 2: this time, do not transfer the knot to the hand thread, as the shuttle thread has to make the knot, and remember to start with the right half of the double stitch. The ring is pulled together with shuttle 1.

Bild 20 und 21: Splitring

Zuerst einen Ring mit Schiffchen 1 machen. Die Spaltung in zwei Hälften mit jeweiligem Schiffchen machen. Die linke Seite des Ringes anfangen und ihn auf gewohnte Weise mit Schiffchen 1 occhieren. Den Faden vom Finger entfernen und ihn entgegengesetzt wieder auflegen. De rechte Seite des Ringes mit Schiffchen 2 occhieren. Auf den Mustern gibt der Pfeil die rechte Seite des Ringes an, die aus gegenseitigen Knoten des Leitfadens bestehen. Die gegenseitige Knotenhälfte mit dem rechten Knoten beginnen. Den Ring mit Schiffchen 1 zusammenziehen.

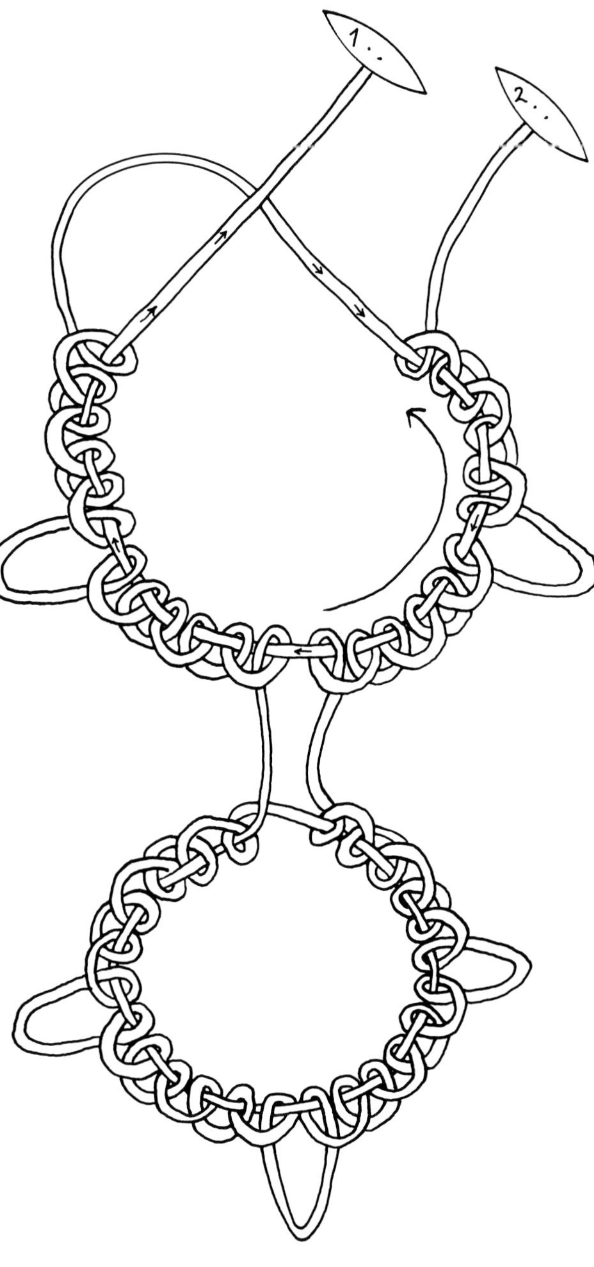

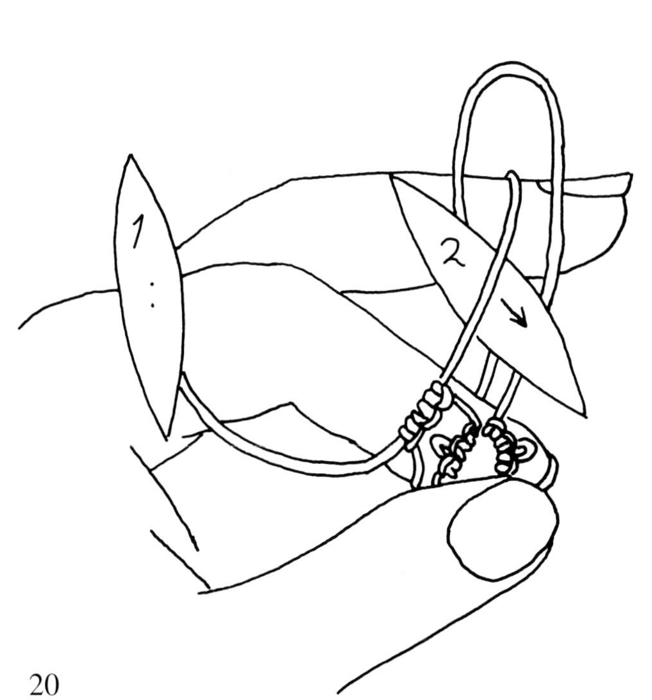

Splitringens højre side
The right side of the split ring
Rechte Seite des Splitringes

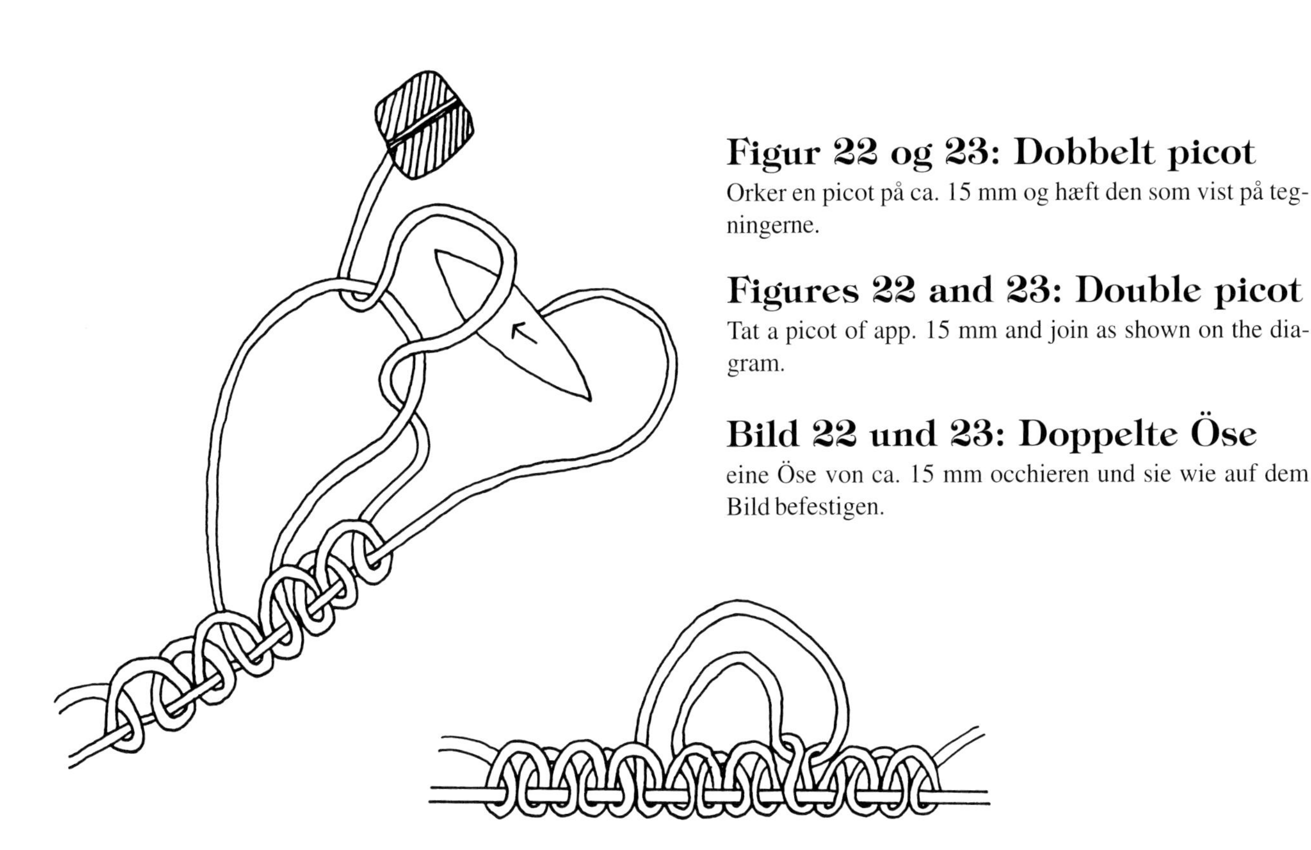

Figur 22 og 23: Dobbelt picot

Orker en picot på ca. 15 mm og hæft den som vist på tegningerne.

Figures 22 and 23: Double picot

Tat a picot of app. 15 mm and join as shown on the diagram.

Bild 22 und 23: Doppelte Öse

eine Öse von ca. 15 mm occhieren und sie wie auf dem Bild befestigen.

Figur 24: Buer sammenholdt med sikkerhedsnål

Start med isætning af sikkerhedsnål og orker buer som vist på tegningen. Når det ønskede antal buer er orkeret vendes arbejdet og med skytte 1 orkeres en ring hvortil buerne føjes.

Figure 24: Chains joined by a safety pin

Start by placing a safety pin and work chains as shown on the diagram. When the right number of chains has been made the work is turned and a ring is tatted with shuttle 1 and the chains are joined.

Bild 24: Bögen mit Sicherheitsnadel zusammengehalten

Mit dem Einsatz von der Sicherheitsnadel anfangen, und Bögen wie auf dem Bild occhieren. Wenn die gewünschte Anzahl der Bögen vorhanden ist, die Arbeit andrehe und mit Schiffchen 1 einen Ring, zudem die Bögen gefügt werden, machen.

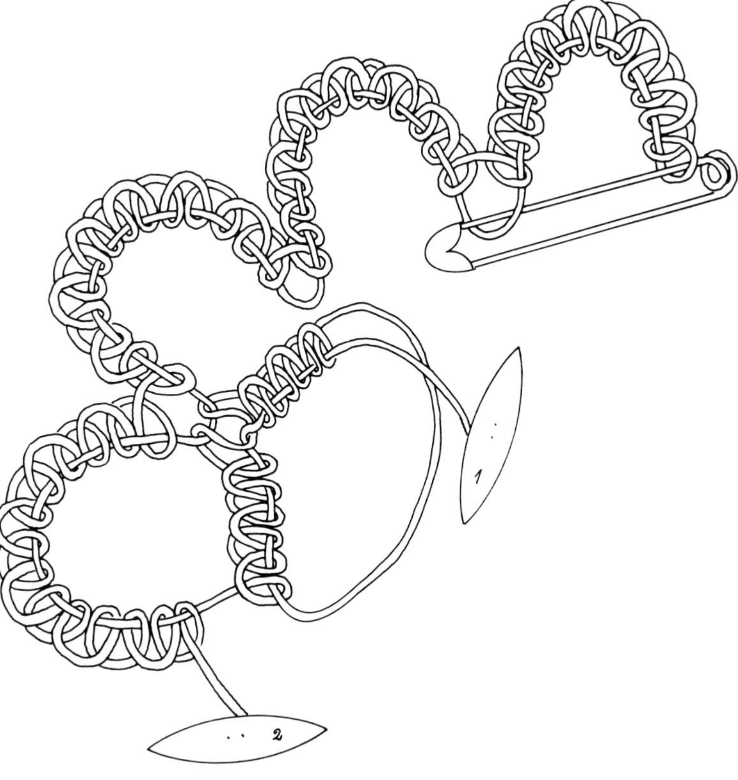

Figur 25: Rulleknude i en ring

En rulleknude er et antal beviklinger mellem to dobbeltknuder. Ved hjælp af skytten lægges tråden omkring knudetråden i ringen. Træk i skytten så snoningen „springer“ over og knudetråden vikler sig om indertråden. Antallet af beviklinger angives i mønsterteksten.

Figure 25: Roll stitches in a ring

Roll stitches are a number of windings between two double stitches. Use the shuttle to place the thread around the thread in the ring. Pull in the shuttle so the windings "jump" over and the thread is wound around the inner thread.
The number of windings is given in the text.

Bild 25: Rollknoten im Ring

Ein Rollknoten ist eine Anzahl von Wicklungen zwischen zwei Doppelknoten. Mit Hilfe des Schiffchens den Faden um den Knotenfaden im Ring legen. Am Schiffchen ziehen, so das die Windung „hinüberspringt“ und der Knotenfaden sich um den Leitfaden wickelt.
Die Anzahl der Wicklungen sind im Mustertext angegeben.

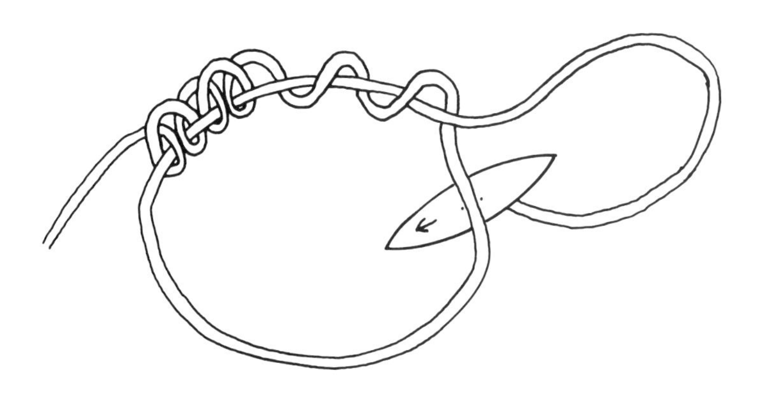

Figur 26: Josefineknude

Består af halve knuder trukket sammen til en ring.

Figure 26: Josephine knot

A Josephine knot is made up of half stitches pulled together to form a ring.

Bild 26: Josefinenknoten

Ein Josefinenknoten besteht aus halben Knoten, zu einem Ring zusammengezogen.

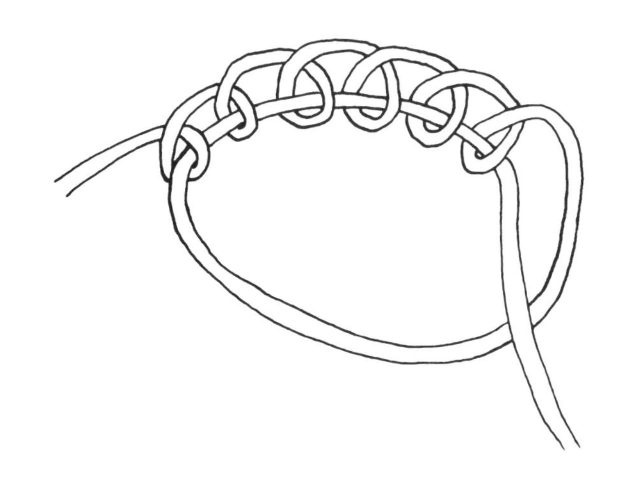

Figur 27: Orkeret firkant

Bemærk at arbejdet vendes for hver række i firkanten og samtidig byttes skytterne.

Figure 27: Tatted square

Note that the work has to be turned between each row in the square and that the shuttles are switched at the same time.

Bild 27: Occhiertes Viereck

Beachten, daß die Arbeit bei jeder Reihe des Vierecks umgedreht wird und gleichzeitig die Schiffchen gewechselt werden.

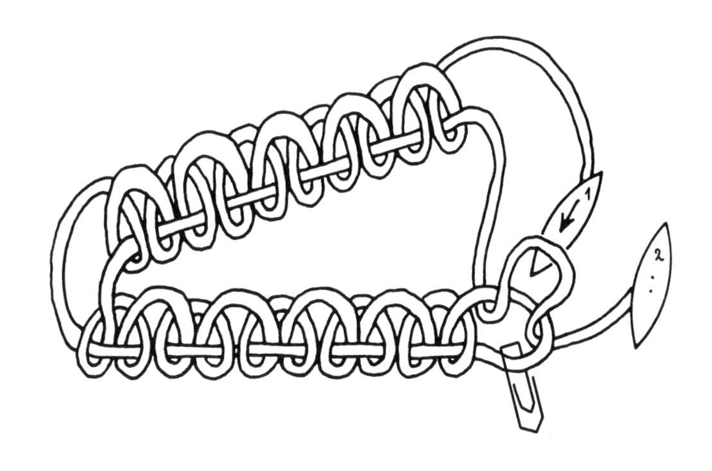

Figur 28: Spiralsnor med perle

Træk perlerne på hjælpetråden (skytte 2) før arbejdet begyndes. Snoren orkeres med halve omvendte knuder som dannes af skyttetråden. Når knuderne skubbes sammen snor de sig i en spiral.

Figure 28: Spiral cord with bead

Place the beads on the ball thread (shuttle 2) before the tatting starts. Tat the cord with half stitches on the shuttle thread. When the stitches are pushed tightly together they will make a spiral.

Bild 28: Spiralschnur mit Perle

Vor dem Beginn der Arbeit die Perlen auf den Hilfsfaden ziehen (Schiffchen 2). Die Schnur mit halben entgegengesetzten Knoten, die aus dem Schiffchenfaden entstehen, occhieren. Wenn die Knoten zusammengeschoben werden, bilden sie eine Spirale.

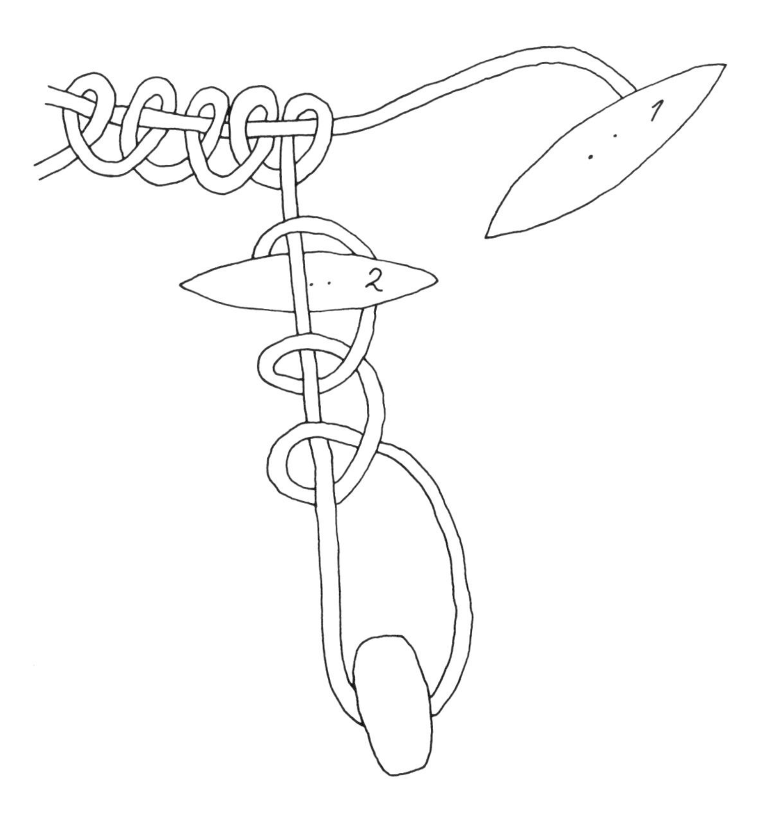

Figur 29: Vævede pletter

Der anvendes 2 skytter.
Læg trådene om fingrene som vist på tegningen. Trådene fastholdes mellem pegefinger og tommelfinger.

Figure 29: Cluny tatting

Two shuttles are used.
Place the thread around the fingers as shown on the diagram. The threads are kept firmly between the forefinger and the thumb.

Bild 29: Gewebter Fleck

2 Schiffchen anwenden.
Die Fäden, wie gezeigt, um die Finger legen. Die Fäden zwischen Zeigefinger und Daumen festhalten.

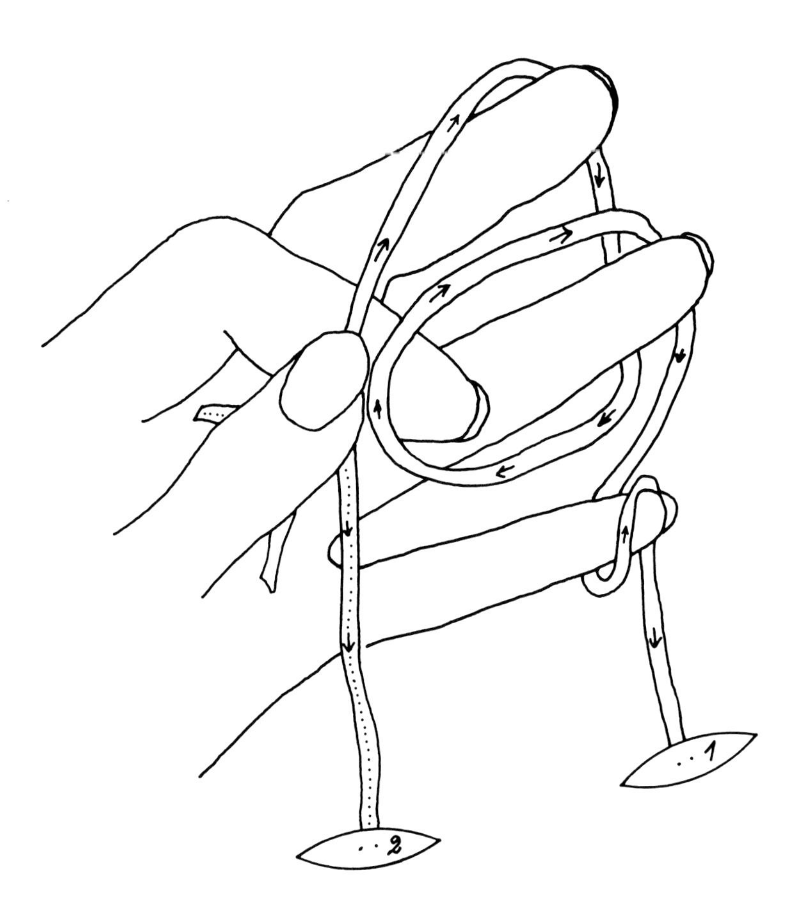

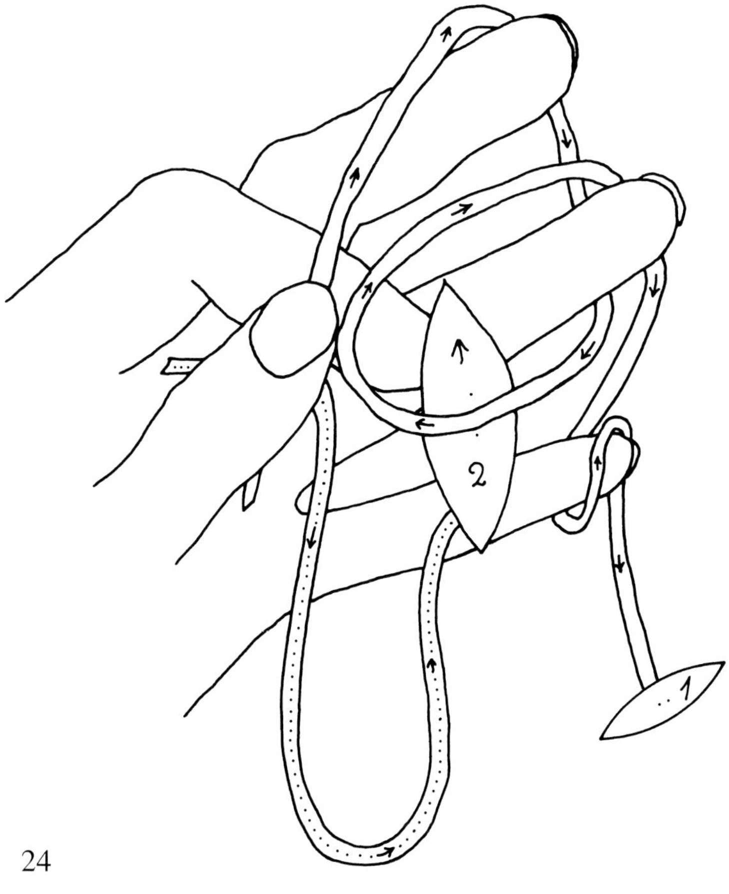

Figur 30:

Skytte 2 trækkes op gennem nederste løkke og fastholdes med tommelfingeren.

Figure 30:

Shuttle 2 is pulled up through the lower loop and kept firm by the thumb.

Bild 30:

Schiffchen 2 durch die untere Schlinge ziehen und mit dem Daumen festhalten.

Figur 31:
Orker en låseknude på øverste løkke-tråd.

Figure 31:
Tat a lock stitch on the upper thread.

Bild 31:
Einen Schlussknoten an dem oberen Schlingenfaden occhieren.

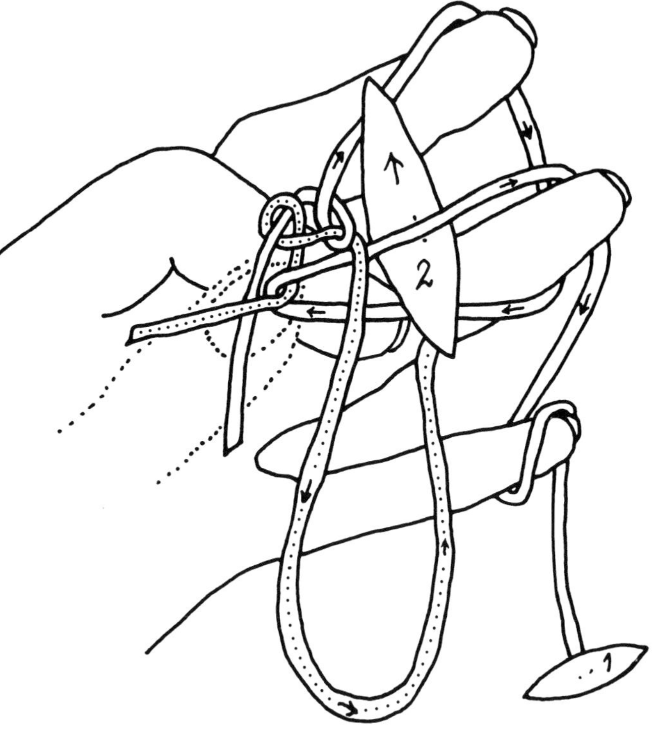

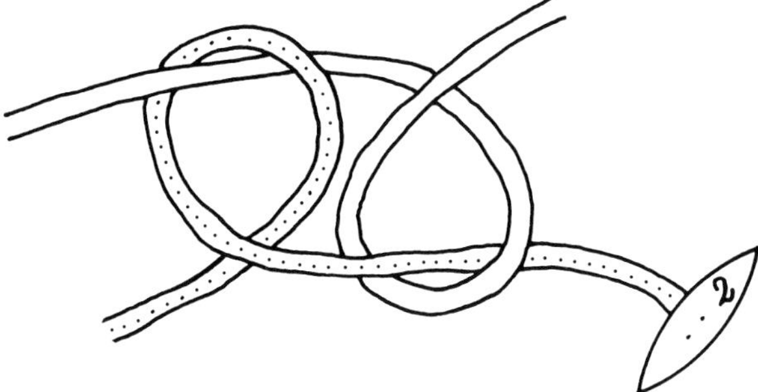

Figur 32: Låseknuden i nærbillede.

Figure 32: Lock stitch in close up.

Bild 33: Schlussknoten in Nahaufnahme.

Figur 33:
Pletten væves nu med skytte 2 - ca. 6 eller 8 gange alt efter den ønskede størrelse. Slut af med skytten hængende nedad. Pletten fastholdes af tommelfingeren medens trådene træk-kes til ved hjælp af skytte 1.

Figure 33:
The cluny is now woven with shuttle 2 - backwards and forwards 6 or 8 times depending on the required size. Finish off with the shuttle hanging down.
The cluny is kept firm by the thumb while the threads are pulled tight with shuttle 1.

Bild 33:
Den Fleck mit Schiffchen 2 weben, ungefähr 6 bis 8 Mal, je nach gewünschter Grösse. Abschliessen mit dem Schiffchen nach unten hängend. Während die Fäden mit Schiffchen 1 zusammengezogen werden, den Fleck mit dem Daumen festhalten.

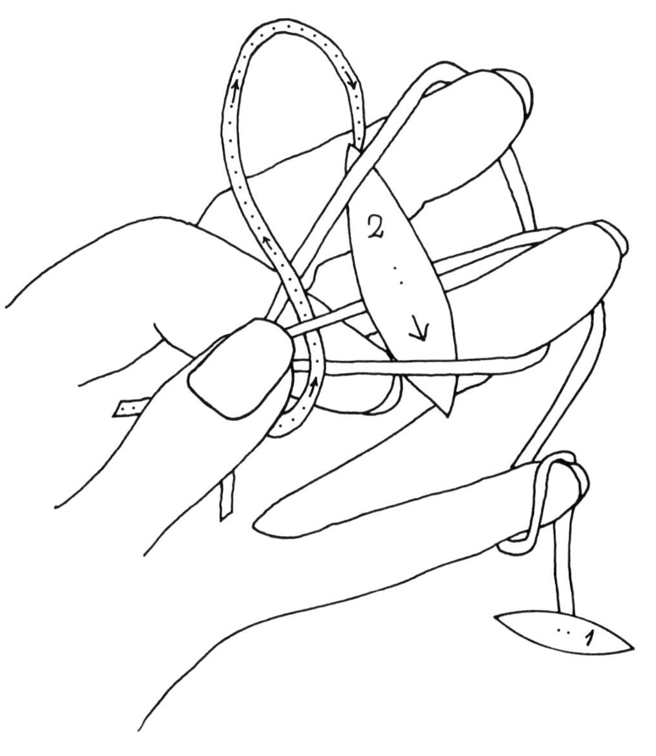

Syning af hulsøm

Hvor hulsømmen skal sys trækkes 2 tråde ud af stoffet.

How to work hemstitch

Pull 2 threads out of the fabric where the hemstitch is to be worked.

Hohlsaum nähen

Wo der Hohlsaum gestickt werden soll, 2 Fäden aus dem Stoff ziehen.

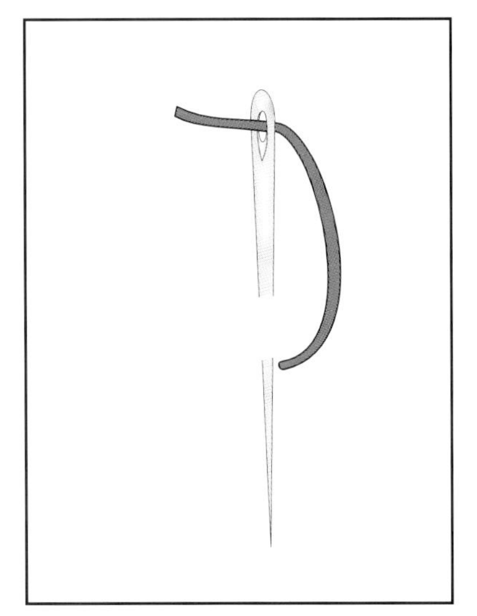

Figur 1: Sy omkring 3 tråde i udtrækningen.
Figure 1: Sew around 3 threads from the pulled section.
Bild 1: Um 3 Fäden in dem Ausgezogenen herumnähen.

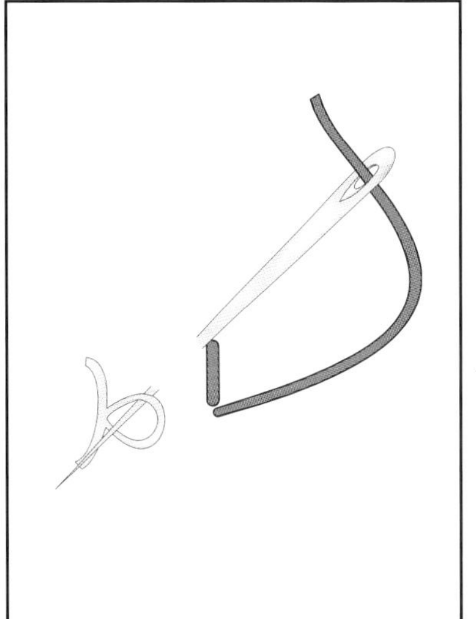

Figur 2: Sy omkring 3 tråde i stoffet og gennem picot'en.
Figure 2: Sew around 3 threads in the fabric and through the picot.
Bild 2: Um 3 Fäden im Stoff herum und durch die Öse nähen.

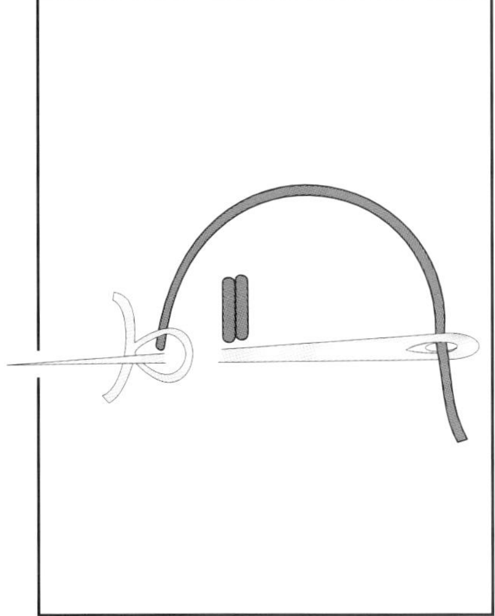

Figur 3: Gentag syning gennem picot'en.
Figure 3: Repeat the sewing through the picot.
Bild 3: Das Nähen durch die Öse wiederholen.

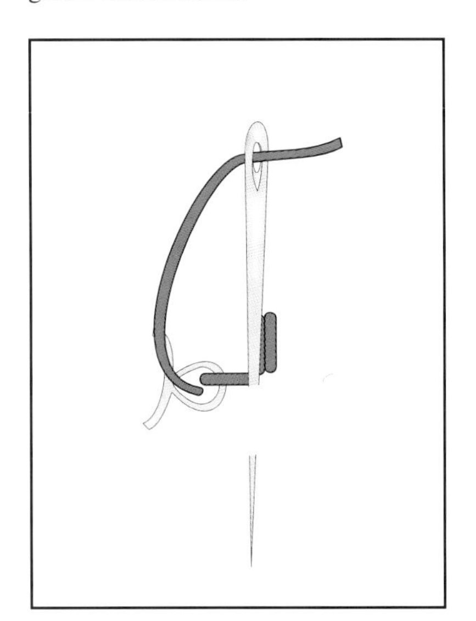

Figur 4: Sy omkring 3 tråde i udtrækningen.
Figure 4: Sew around 3 threads from the pulled section.
Bild 4: Um 3 Fäden in dem Ausgezogenen herumnähen.

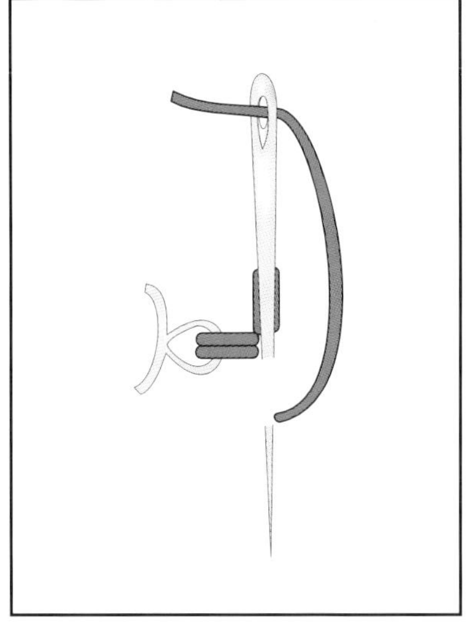

Figur 5: Gentag syning omkring de 3 tråde.
Figure 5: Repeat the sewing around the 3 threads.
Bild 5: Das Nähen um die 3 Fäden herum wiederholen.

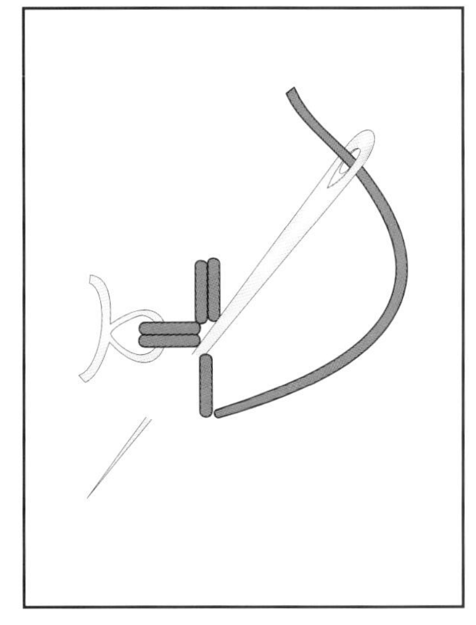

Figur 6: Sy omkring 3 tråde i stoffet.
Figure 6: Sew around 3 threads in the fabric.
Bild 6: Um 3 Fäden im Stoff herumnähen.

Nr. 1: Motiv

Materialer: 2 orkisskytter
Garn: DMC Cordonnet Spécial nr. 70
Mål: 6 cm i diameter

Motivet er orkeret i 1 omgang.
Husk at bytte skytterne ved ~

No 1: Motif

Materials: 2 shuttles
Thread: DMC Cordon. Spécial no. 70
Size: Width 6 cm

The motif is tatted in one round. Remember to switch the shuttles at the ~

Nr. 1: Motiv

Material: 2 Schiffchen
Garn: DMC Cordonnet Spécial nr. 70
Maß: 6 cm im Diameter

Das Muster ist in einem Arbeitsgang occhiert. Den Wecksel der Schiffchen bei ~ beachten.

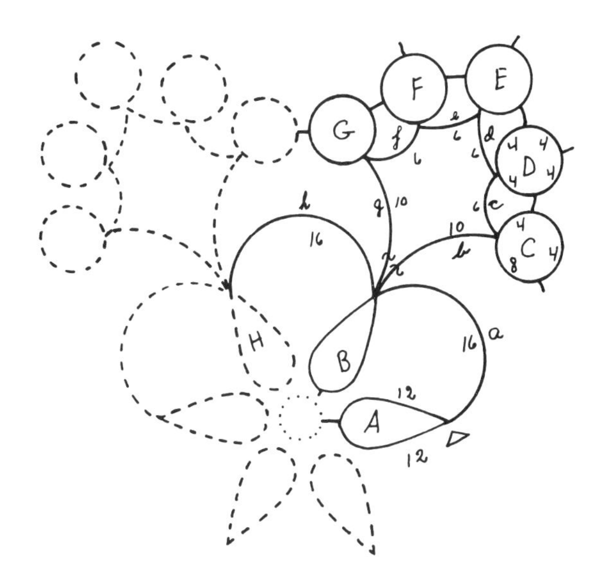

Nr. 2: Motiv

Materialer: 2 orkisskytter
Garn: DMC Cordonnet Spécial nr. 20
Mål: 4,5 × 4,5 cm

Orkeres efter mønstertegningen.

No 2: Motif

Materials: 2 shuttles
Thread: DMC Cordon. Spécial no 20
Size: 4.5 × 4.5 cm

Tat according to the diagram.

Nr. 2: Motiv

Material: 2 Schiffchen
Garn: DMC Cordon. Spécial nr.
Maß: 4,5 × 4,5 cm

Nach der Zeichnung des Musters occhieren.

Nr. 3: Besætning til krave

Materialer: 2 Orkisskytter
Garn: DMC Blondegarn nr. 80 farve 701, grøn
Mål: Bredde 1,5 cm

Bemærk at tråden er brudt mellem hvert trekløver.
Motiverne i nakke og hjørner orkeres til sidst. Vind tråd på skytte 1, bryd tråden, men klip et passende stykke tråd af og vind det på skytte 2. Inden tråden vindes på skytte 2 trækkes den igennem den picot hvor motivet skal udgå fra.
Ring A, B og C er orkeret med skytte 1. Ring A' og B' er orkeret med skytte 2.

No 3: Trimming for collar

Materials: 2 Shuttles
Thread: DMC Spécial Dentelles no 80 colour 701, green
Size: Width 1,5 cm

Note that the thread is broken between each trefoil.
The motifs at the neck and in the corners are worked at the end. Wind the thread on shuttle 1, break the thread, but leave a suitable length from the ball and wind it on shuttle 2. Pull the thread through the picot from the place there the motif shall come from before the thread are wound on shuttle 2.
Rings A, B and C are tatted with shuttle 1. Rings A' and B' are tatted with shuttle 2.

Nr. 3: Besatz für Kragen

Material: 2 Schiffchen
Garn: DMC Spécial Dentelles nr. 80 Farbe 701, grün
Maß: Breite 1,5 cm

Den Bruch des Fadens zwischen jedem Dreiklee beachten.
Muster in Nacken und den Ecken zuletzt occhieren. Das Garn auf Schiffchen 1 winden, den Faden brechen, jedoch ein passendes Stück Faden abschneiden und auf Schiffchen 2 winden. Bevor der Faden auf Schiffchen 2 gewickelt wird, ihn durch die Öse ziehen, mit der das Muster anfängt.
Ring A, B, C sind mit Schiffchen 1 occhiert. Ring A', B' sind mit Schiffchen 2 occhiert.

Nr. 4: Blonde til krave

Materialer: 2 orkisskytter
Garn: DMC Cordonnet Spécial nr. 70
Mål: Bredde 3,5 cm

Ring D er orkeret med skytte 1 og ringene A', B' og C' er orkeret med skytte 2.

No 4: Lace for collar

Materials: 2 shuttles
Thread: DMC Cordonnet Spécial no 70
Size: Width 3,5 cm

Ring D is tatted with shuttle 1 and the rings A', B' and C' are tatted with shuttle 2.

Nr. 4: Spitze für Kragen

Material: 2 Schiffchen
Garn: DMC Cordon. Spécial nr. 70
Maß: Breite 3,5 cm

Ring D ist mit Schiffchen 1 occhiert. Die Ringe A', B' und C' sind mit Schiffchen 2 occhiert.

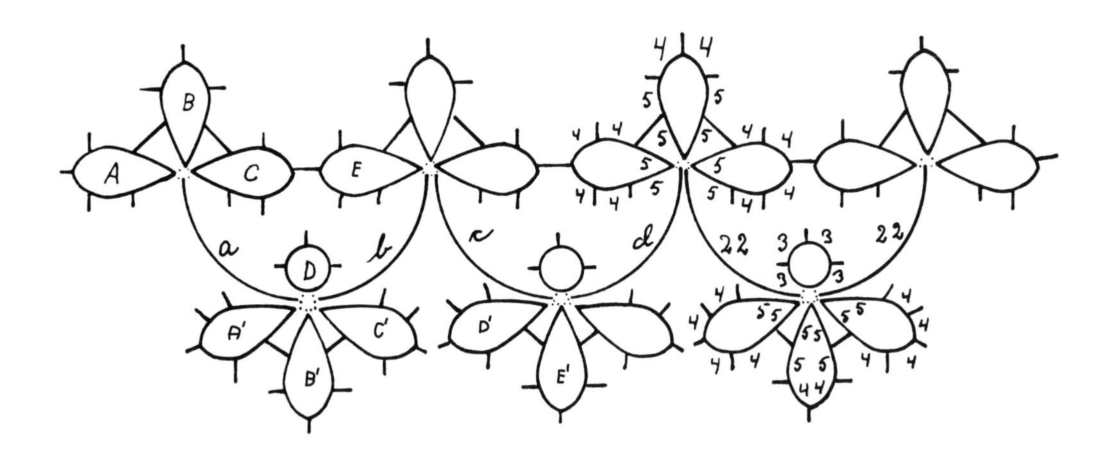

Nr. 5: Krave til spids halsudskæring

Materialer: 2 orkisskytter
Garn: DMC Cordonnet Spécial nr. 40
Mål: Bredde 6,5 cm
Længde ved halsen 22 cm

Orker først stedmoderblomsterne. Blomsterne samles derefter med en række af splitringe og der fortsættes med kanten langs halsen uden at bryde tråden.
De lange picot'er orkeres over en 24 mm bred skabelon og snos 6 gange.
Bemærk at kraven er orkeret med ret- og vrangside.

No. 5: Collar for V-neck

Materials: 2 shuttles
Thread: DMC Cordonnet Spécial no 40
Size: Width 6.5 cm
Length of neckline 22 cm

First work the pansies. Join the flowers with a row of split rings and continue with the edge by the neckline without breaking the thread.
The long picots are worked using a 24 mm template and are twisted 6 times.
Note that the collar is tatted with a right and a wrong side.

Nr. 5: Kragen für spitzen Halsausschnitt

Material: 2 Schiffchen
Garn: DMC Cordon. Spécial nr. 40
Maß: Breite 6,5 cm
Länge am Hals 22 cm

Zuerst die Stiefmütterchen occhieren. Die Blumen danach mit einer Reihe von gespaltenen Ringen zusammenfügen, und ohne den Faden zu brechen, die Kante am Hals entlang fortsetzen.
Die langen Ösen über eine 24 mm breite Schablone okkieren und 6 mal zwirbeln.
Die Kehrseite beachten.

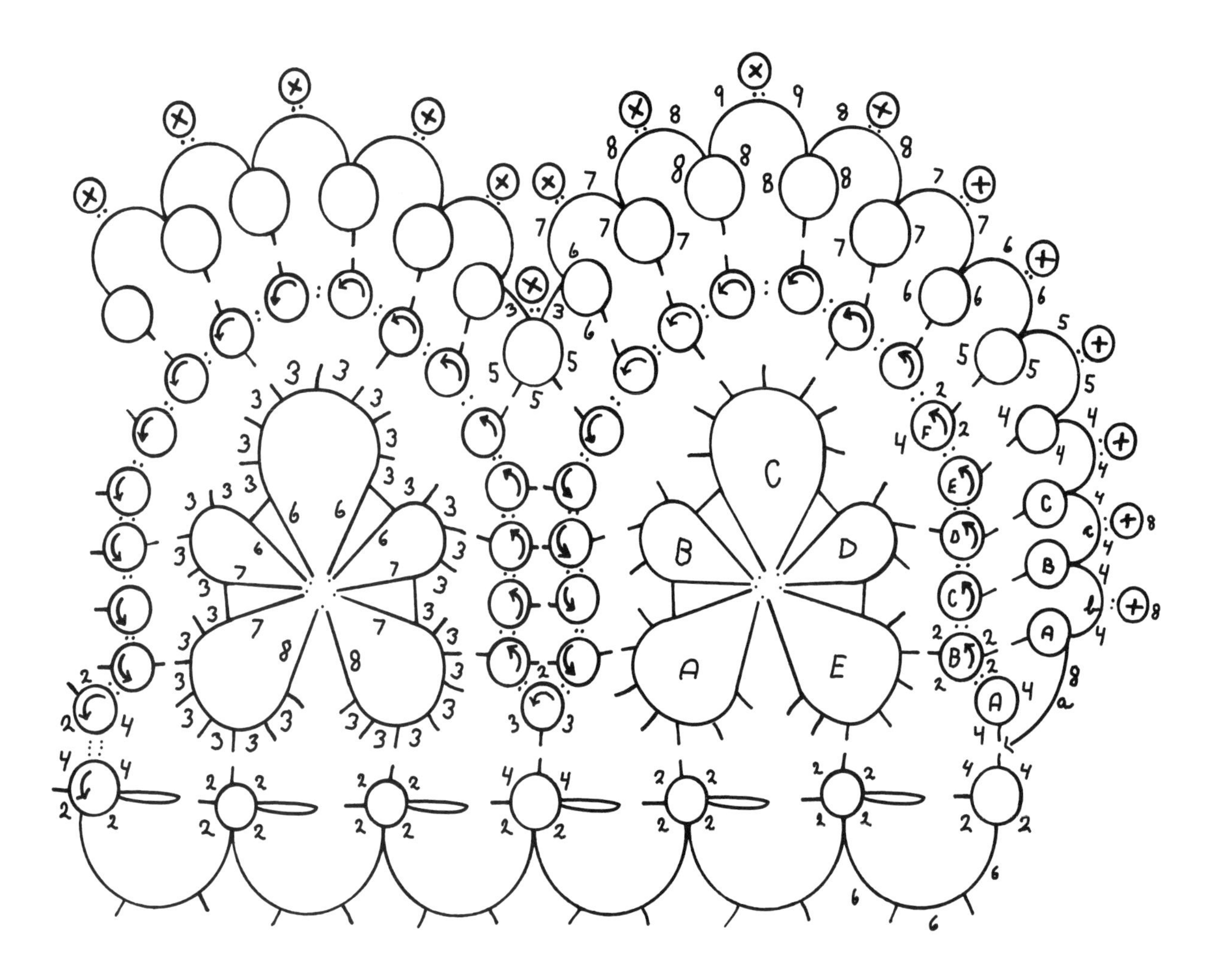

Nr. 6: Kalvekrøs

Materialer: 2 orkisskytter
Garn: DMC Cordonnet Spécial nr. 60
Mål: Længde efter ønske
Bredde 8 cm

Antallet af dobbeltknuder er ens for underlag, nederste og øverste flæse, se den lille mønstertegning.
Start med at orkere midterstykket i den ønskede længde. Bemærk at ringene B og C er orkeret med skytte 2. Herefter orkeres underlaget som føjes til midterstykket. Nederste flæse føjes til understykket og øverste flæse føjes til midterstykket. Stederne for sammenføjninger er angivet med pile.

No 6: Shirt frill

Materials: 2 shuttles
Thread: DMC cordon. Spécial no 60
Size: Length as wished
Width 8 cm

The number of double stitches are equal on both underneath, middle and top lace. See the little diagram.
Start by tatting the centre piece, in the length you want. Note that the rings B and C are tatted with shuttle 2. When work the underneath section and join it to the centre piece. The middle lace is joined to the underneath and the top lace is joined to the centre piece. The arrows show where to join the laces.

Nr. 6: Hemdkrause

Material: 2 Schiffchen
Garn: DMC Cordon. Spécial nr. 60
Maß: Länge nach Wunsch
Breite 8 cm

Die Anzahl der Doppelknoten zur Unterlage und unteren und oberen Rüsche sind gleich gross. Siehe das kleine Muster.
Zuerst das Mittelstück in der gewünschten Länge okkieren. Beachten, daß die Ringe B und C mit Schiffchen 2 okkiert sind. Danach die Unterlage, die zum Mittelstuck gefügt wird, okkieren. Untere Rüsche zur Unterlage und obere Rüsche zum Mittelstück fügen. Die Zusammenfügungen sind mit Pfeilen markiert.

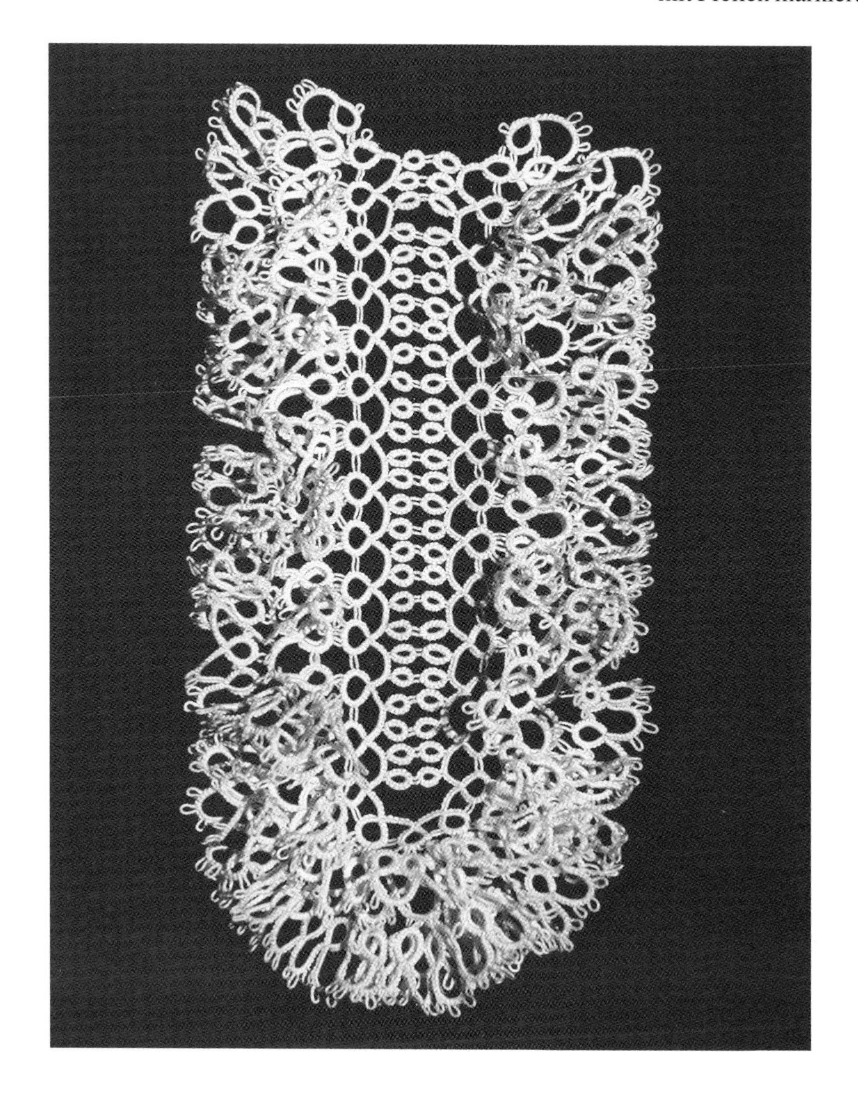

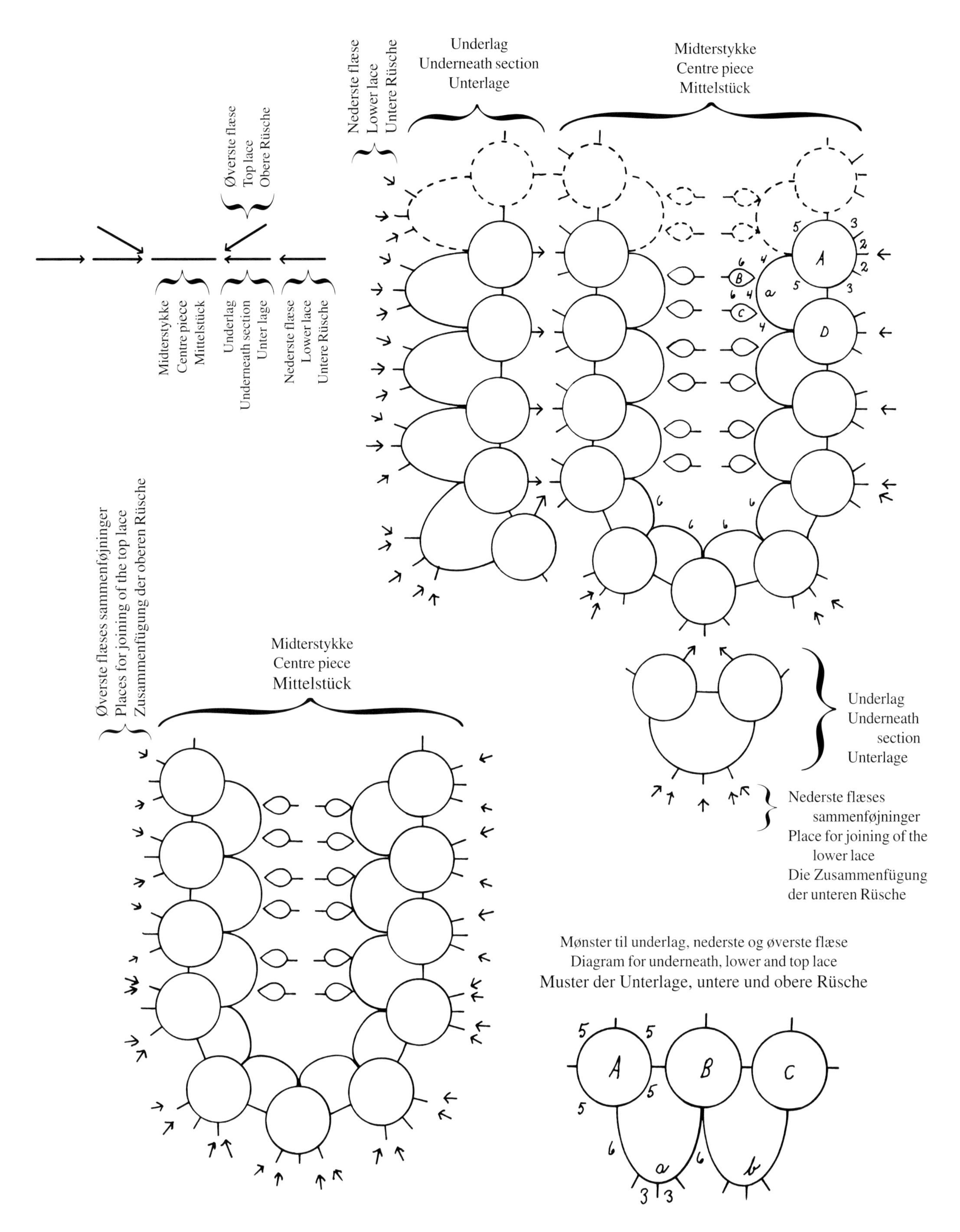
Nederste flæse
Lower lace
Untere Rüsche
Underlag
Underneath section
Unterlage
Midterstykke
Centre piece
Mittelstück
Øverste flæse
Top lace
Obere Rüsche
Midterstykke
Centre piece
Mittelstück
Underlag
Underneath section
Unter lage
Nederste flæse
Lower lace
Untere Rüsche
A
B
C
D
a
Øverste flæses sammenføjninger
Places for joining of the top lace
Zusammenfügung der oberen Rüsche
Midterstykke
Centre piece
Mittelstück
Underlag
Underneath
section
Unterlage
Nederste flæses
sammenføjninger
Place for joining of the
lower lace
Die Zusammenfügung
der unteren Rüsche
Mønster til underlag, nederste og øverste flæse
Diagram for underneath, lower and top lace
Muster der Unterlage, untere und obere Rüsche
A
B
C
a
b

Nr. 7: Blonde til færdigt lommetørklæde

Materialer: 1 orkisskytte + hjælpetråd, 1 lommetørklæde med buer
Garn: DMC Cordonnet Spécial nr. 70
Mål: bredde ca. 2,5 cm

Orker først de inderste buer som føjes til lommetørklædets hulsøm.

No 7: Lace for ready-made handkerchief

Materials: 1 shuttle + ball thread, 1 embroidered handkerchief
Thread: DMC Cordon. Spécial no 70
Size: width app. 2.5 cm

First work the row of chains and join to the hemstitching on the handkerchief.

Nr. 7: Spitze für fertiges Tashentuch

Material: 1 Schiffchen + Hilfsfaden, 1 Taschentuch mit Bögen
Garn: DMC Cordon. Spécial nr. 70
Maß: Breite ca. 2,5 cm

Zuerst die inneren Bögen okkieren, und sie dann am Hohlsaum des Taschentuches befestigen.

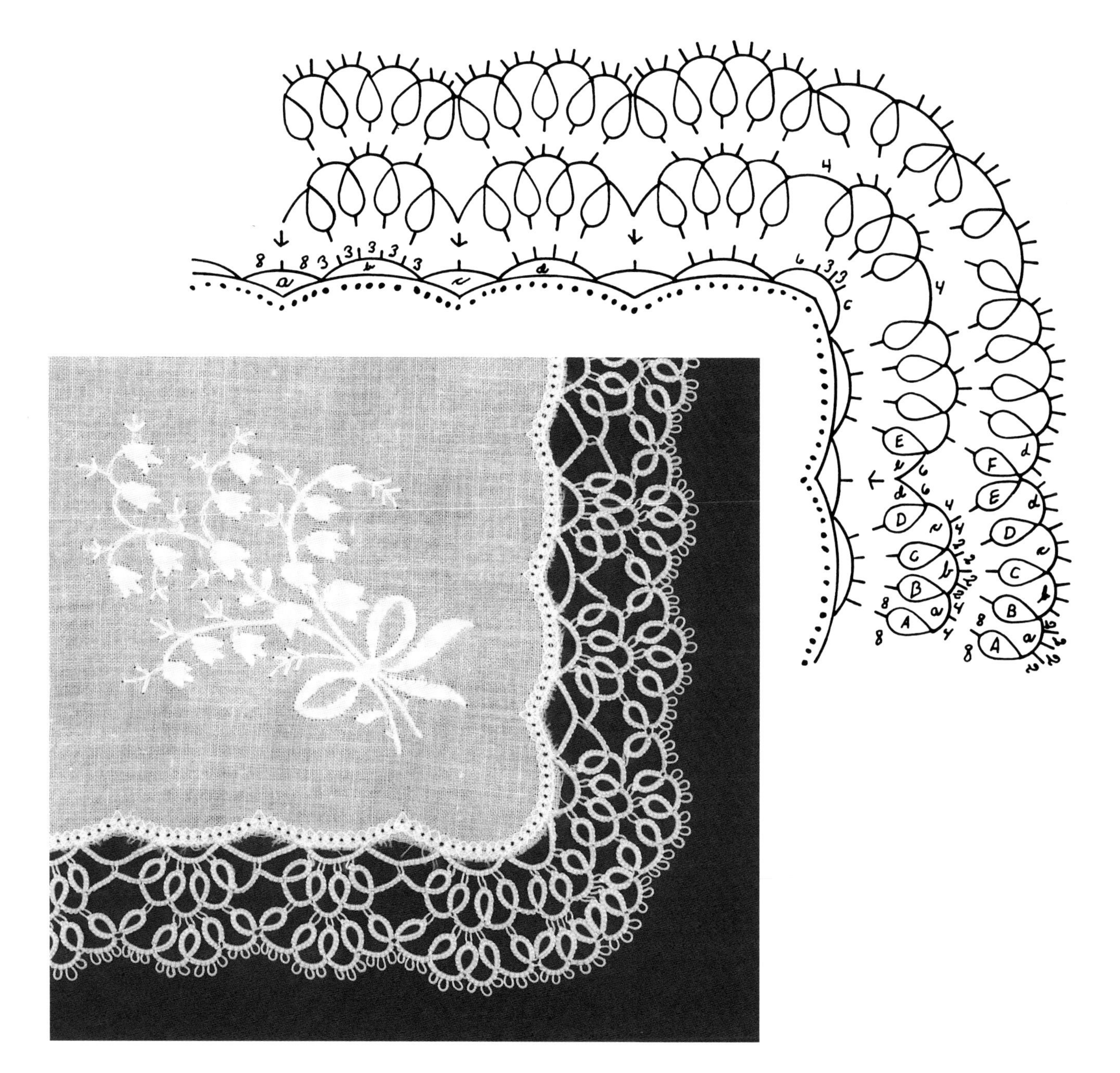

Nr. 8: Blomsterranke

Materialer: 2 orkisskytter
Garn: DMC Coton Perlè nr. 8 farve 106, meleret
Mål: bredde ca. 2,5 cm

Ringene A, B, C, D og A', B', C', D' orkeres med hver sin skytte.
Når ringene D er orkeret bindes trådene fra hver skytte sammen; den næste bue startes fra den fælles picot, som vist på hjælpetegningen.

No 8: Garland of flowers

Materials: 2 shuttles
Thread: DMC Coton Perlè no 8 colour 106, merle
Size: width app. 2.5 cm

Use one shuttle to tat the rings A, B, C and D and the other shuttle for A', B', C' and D'.
Then the D rings are tatted the threads from both shuttles are tied together; the next chain are started with a common picot as shown on the diagram.

Nr. 8: Blumenranke

Material: 2 Schiffchen
Garn: DMC Coton Perlè nr. 8, Farbe 106, meliert
Maß: Breite ca. 2,5 cm

Die Ringe A, B, C, D und A', B', C', D' mit jeweiligem Schiffchen okkieren. Wenn die D-Ringe okkieret sind, die Fäden von jedem Schiffchen zusammenbinden. Den nächsten Bogen bei der gemeinsamen Öse anfangen, wie die Skitze zeigt.

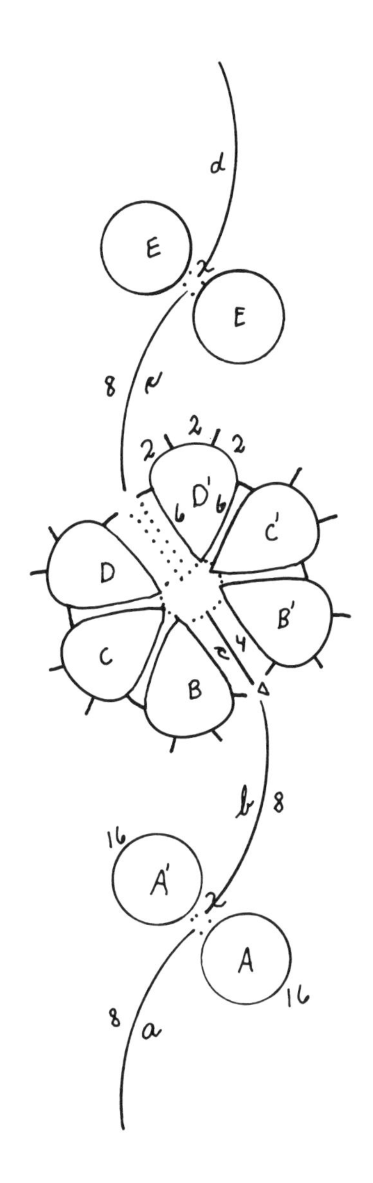

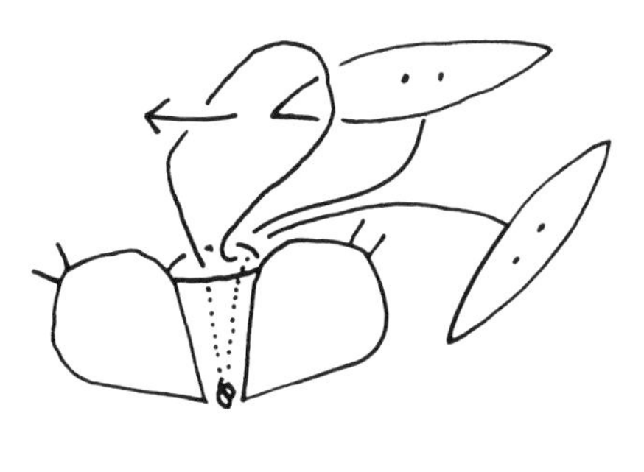

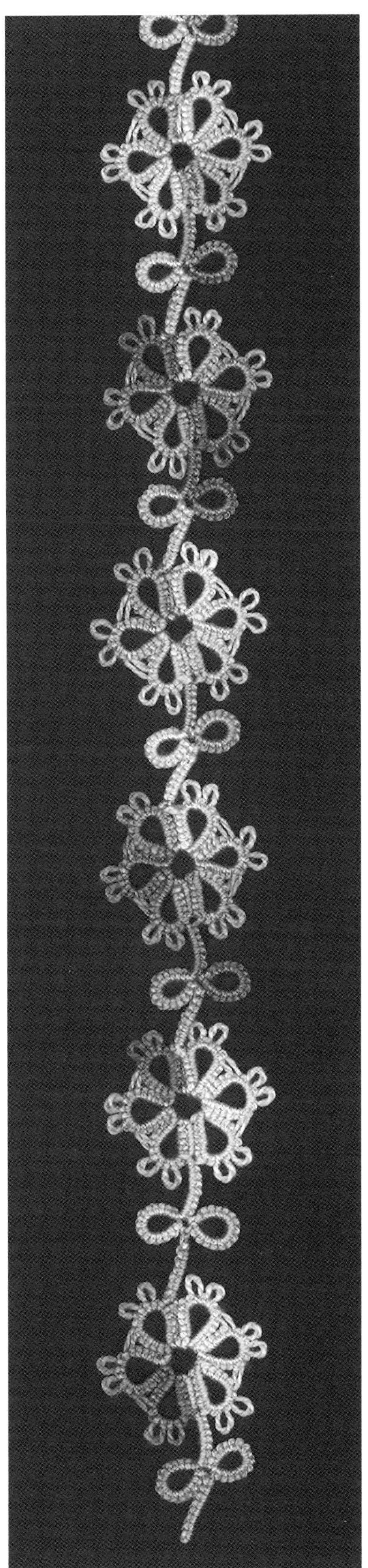

Nr. 9: Blonde med vævede pletter

Materialer: 2 orkisskytter
Garn: DMC Cebelia nr. 30
Mål: bredde ca. 3,3 cm

Orkeres efter mønstertegningen. Bemærk at sidste ring i første omgang er en splitring.
Montering: Sys evt. med hulsøm på en dækkeserviet. Undlad at trække tråde ud, buk i stedet stoffet om og sy hulsømmmens figur 2 + 3 + 4 om stoffets kant.

No 9: Lace with cluny tatting

Materials: 2 shuttles
Thread: DMC Cebelia no 30
Size: width app. 3.3 cm

Tat according to the diagram.
Note that the last ring in first round is a split ring.
Mounting: Fasten the lace to a table cloth with hem stitch.
Do not remove the threads, but tuck in the edge and work the hemstitch as shown in figures 2 + 3 + 4.

Nr. 9: Spitze mit gewebten Flecken

Material: 2 Schiffchen
Garn: DMC Cebelia nr. 30
Maß: Breite ca. 3,3 cm

Nach dem Muster okkieren.
Beachten, daß der letzte Ring in der ersten Runde ein Splitring ist.
Fertigstellung: Eventuel mit Hohlsaum an ein Set nähen.
Das Herausziehen von Fäden unterlassen, anstatt dessen den Stoff umbeugen und Hohlsaum wie Figur 2 + 3 + 4 um die Kante des Stoffes nähen.

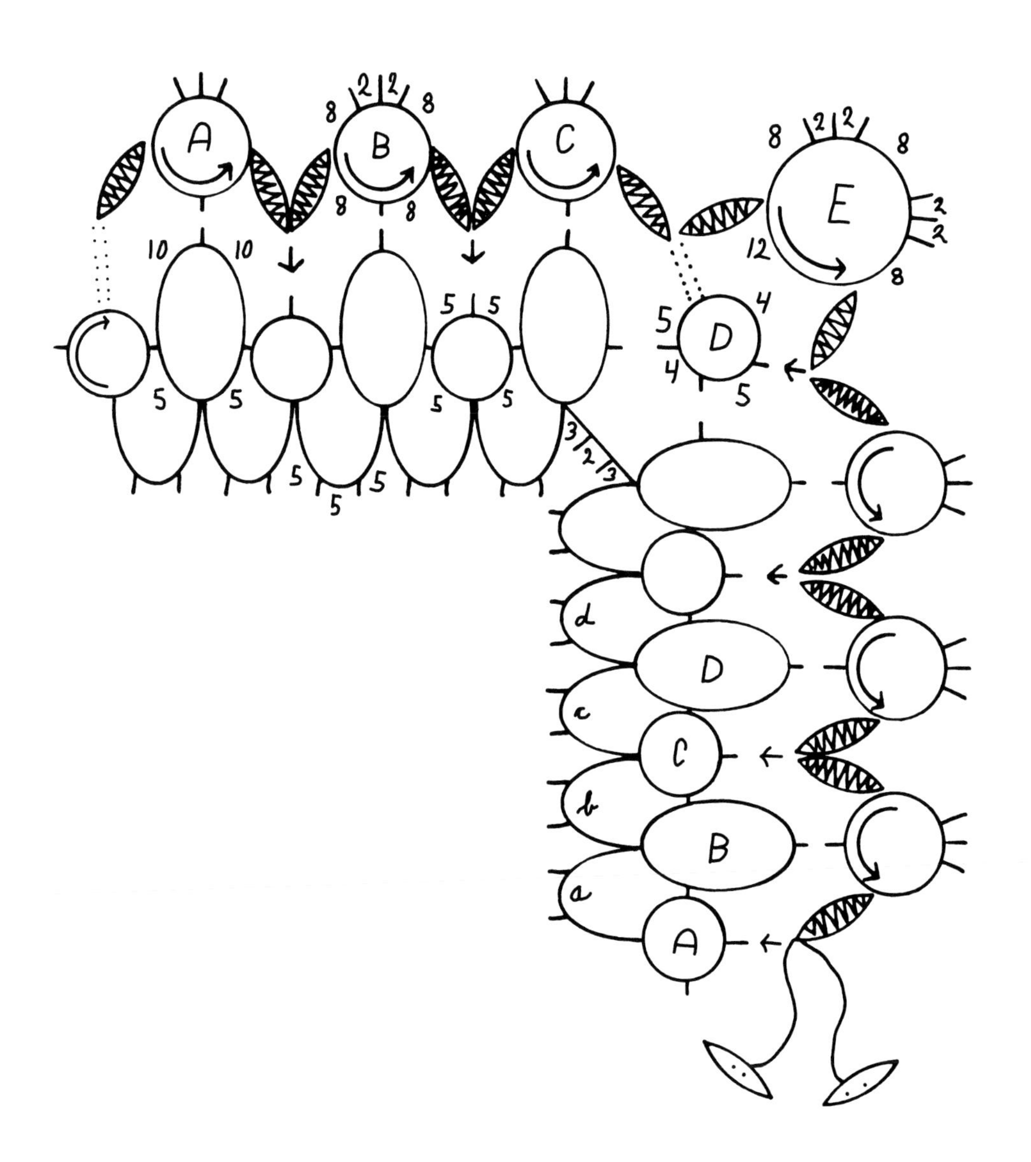

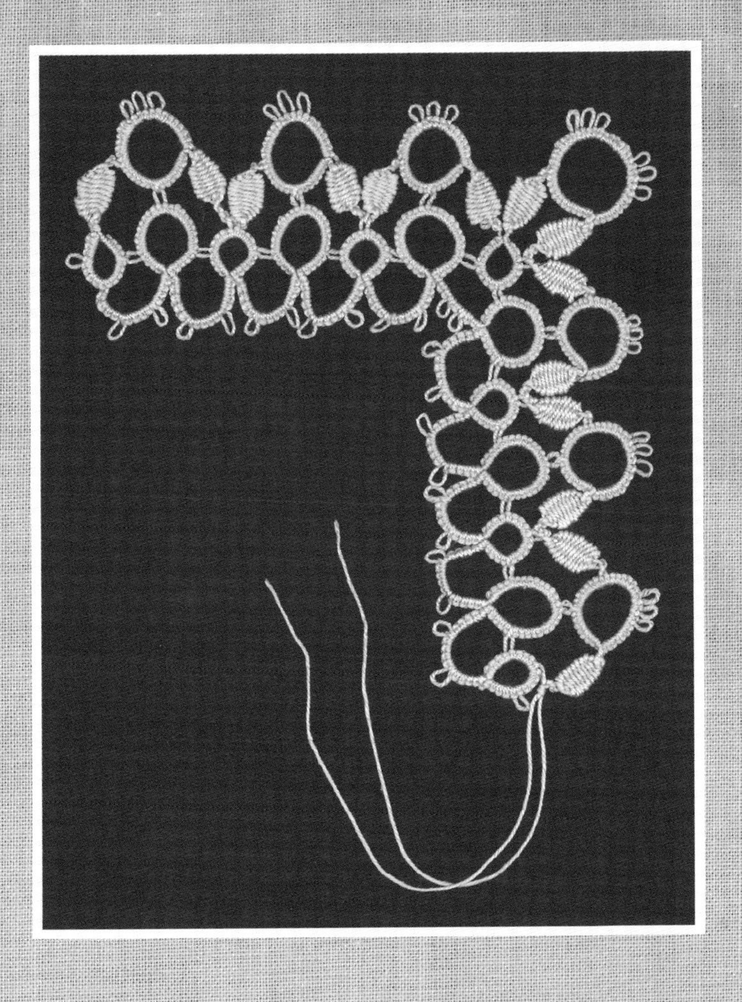
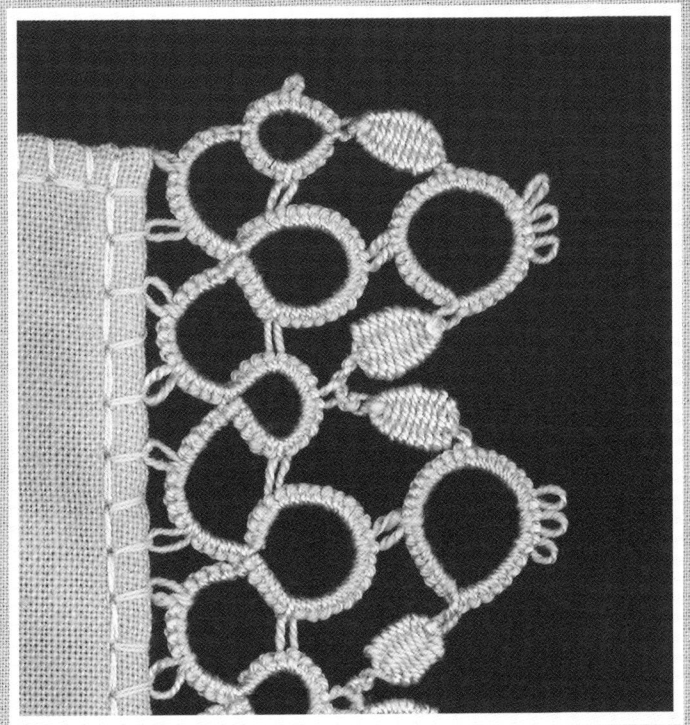

Nr. 10: Broche til bordkort

Materialer: 2 orkisskytter, 2 perler 5 mm, 1 lille sikkerhedsnål, 1 bordkort
Garn: DMC Cebelia nr. 30

Start ring A med isætning af clips. Orker 5 blade til hver blomst. Blomsterne er orkeret med ret og vrangside
Montering: Blomsterne bindes sammen med trådenderne og bindes derefter fast til en lille sikkerhedsnål. Trådenderne klippes af ca. 3,5 cm fra nålen. Lim en perle i hver blomst.
Brochen sættes fast på bordkortet med sikkerhedsnålen.

No 10: Brooch for place card

Materials: 2 shuttles, 2 beads 4 mm, small safety pin, 1 place card
Thread: DMC Cebelia no 30

Start ring A with a paper clip.
Tat 5 leaves for each flower. Tat the flowers with right and wrong side.
Mounting: Tie the flowers together with the threads ends and then tie the flowers to a little safety pin. Cut the ends app 3.5 cm from the pin. Place a bead in the middle of each flower and stick it with glue.
Fasten the brooch to the card with the safety pin.

Nr. 10: Brosche für Tischkarten

Material: 2 Schiffchen, 2 Perlen 5mm, 1 kleine Sicherheitsnadel, 1 Tischkarte
Garn: DMC Cebelia nr. 30

Zuerst Ring A mit Einsatz der Klammer anfangen.
5 Blätter für jede Blume okkieren. Die Blumen sind mit Rechte- und Linkeseite okkiert.
Fertigstellung: Die Blumen anhand der Fadenenden zusammenbinden und an einer kleinen Sicherheitsnadel befestigen. Die Enden ca. 3,5 cm von der Nadel entfernt abschneiden. Eine Perle in jede Blume kleben.
Die Brosche mit einer Sicherheitsnadel an der Tischkarte befestigen.

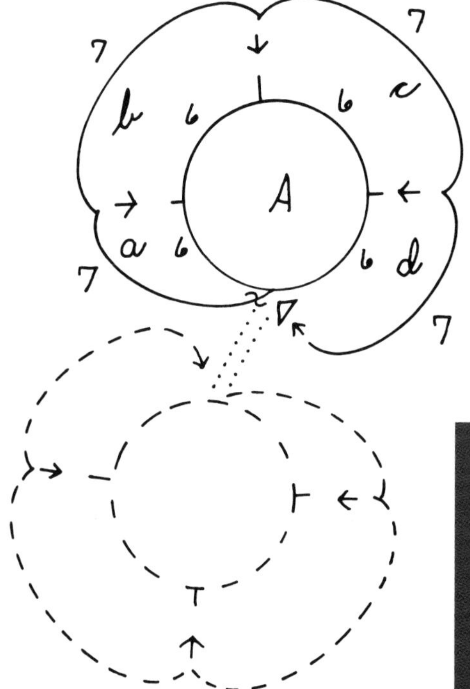

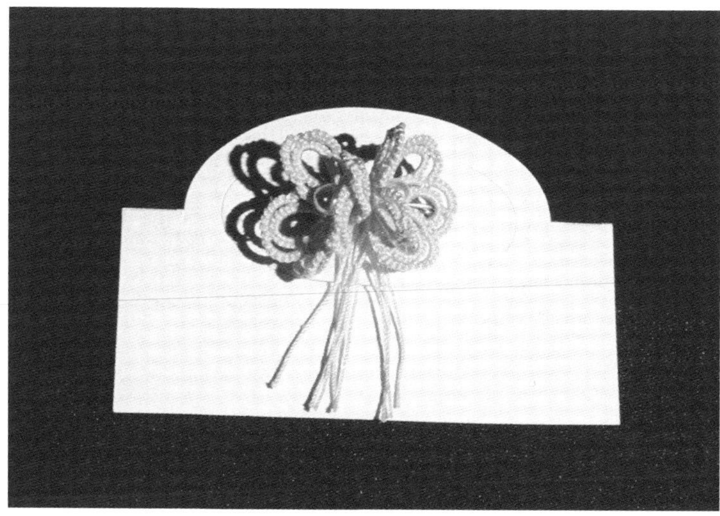

Nr. 11: Besætning til hårspænde

Materialer: 1 orkisskytte + hjælpetråd, 7 perler 5 mm, 28 perler 3 mm
Garn: DMC Cordonnet Spécial nr. 20
Mål: Åkande ca. 4 cm i diameter Spiralsnore på 11 cm og 6,5 cm

Orker åkanden. Træk 6 små perler og derefter 7 store perler på tråden før der vindes på skytten. Bryd ikke tråden, men start med isætning af clips. Orker blomsterbunden efter mønstertegningen og placer en perle i hver bue. Den lille blomst orkeres direkte på den store. Efter hver bue hæftes skyttetråden ned i mellemrummene i den store blomst, som vist på hjælpetegningen.
Spiralsnorene med blomsterne orkeres efter mønstertegningen. Husk at trække 11 små perler på tråden før der vindes på skytten. Orker en spiralsnor fra den lille blomst og over til den store.
Montering: Bånd og blomst limes på hårspændet som vist på billedet.

No 11: Trimming for hair slide

Materials: 1 shuttle + ball thread, 7 beads 5 mm, 28 beads 3 mm
Thread: DMC Cordon. Spécial no 20
Size: Water lily app. 4 cm in diameter Spiral cords of 11 cm and 6.5 cm

Tat the water lily. Put 6 small beads and then 7 large beads on the thread before it is wound onto the shuttle. Do not break the thread, but start by using a paper clip. Tat the bottom of the flower according to the diagram and place a bead in each chain. The little flower are worked directly onto the large flowers. After each chain, fasten the thread in the spaces in the large flower as shown on the diagram.
Tat the spiral cords with the flowers according to the diagram. Remember to put 11 small beads on the thread before it is wound onto the shuttle. Tat the spiral cord from the little flower to the large one.
Mounting: Glue the spiral cords and flowers on the hair slide as shown on the photo.

Nr. 11: Besatz für Haarspange

Material: 1 Schiffchen + Hilfsfaden, 7 Perlen 5mm, 28 Perlen 3mm
Garn: DMC Cordon. Spécial nr. 20
Maß: Seerose ca. 4 cm im Diameter Spiralschnur 11 cm und 6,5 cm

Die Seerose okkieren. Bevor der Faden auf das Schiffchen gewickelt wird, zuerst 6 kleine und 7 grosse Perlen aufziehen. Den Faden nicht brechen, sondern mit dem Einsatz einer Klammer anfangen. Den Blumengrund nach dem Muster okkieren und eine Perle in jedem Bogen anbringen. Die kleine Blume wird direkt auf die grosse okkiert. Nach jedem Bogen den Schiffchenfaden in den Zwischenräumen der grossen Blume befestigen, wie das Muster zeigt. Spiralschnur mit Blumen nach dem Muster okkieren. Nicht vergessen 11 kleine Perlen auf das Faden zu ziehen, bevor er um das Schiffchen gewickelt wird. Eine Spiralschnur von der kleinen zur grossen Blume okkieren.
Fertigstellung: Das Band und die kleine Blume auf die Haarspange kleben.

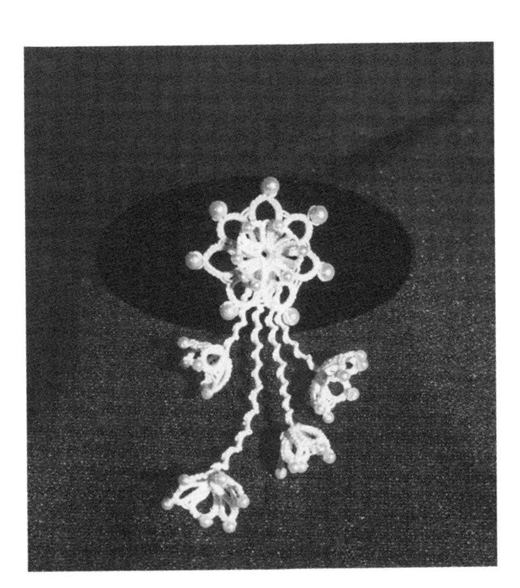

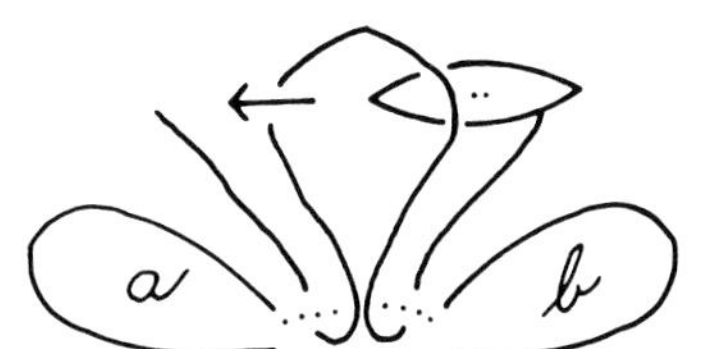

Nr. 12: Blonde med hjørne

Materialer: 1 orkisskytte
Garn: DMC Cordon. Spécial nr. 40
DMC Cordon. Spécial nr. 100 (hæklet kant)
Mål: bredde 3,5 cm

Orkeres efter mønstertegningen.
Den indvendige kant kan afsluttes med en række hæklede luftmasker. Antallet af luftmasker er angivet på den lille tegning.

No 12: Lace with corner

Materials: 1 shuttle
Thread: DMC Cordon. Spécial no 40
DMC Cordon. Spécial no 100 (crochet edge)
Size: width 3.5 cm

Tat according to the diagram.
The inner edge can be finished with an edge of crochet. The number of chains are marked on the little diagram.

Nr. 12: Spitze mit Ecke

Material: 1 Schiffchen
Garn: DMC Cordon. Spécial nr. 40
DMC Cordon. Spécial nr. 100 (gehäckelte Kante)
Maß: Breite 3,5 cm

Nach dem Muster okkieren.
Die innere Kante kann mit einer Reihe gehäckelter Luftmaschen abgeschlossen werden. Die Anzahl der Luftmaschen ist auf der kleinen Zeichnung angegeben.

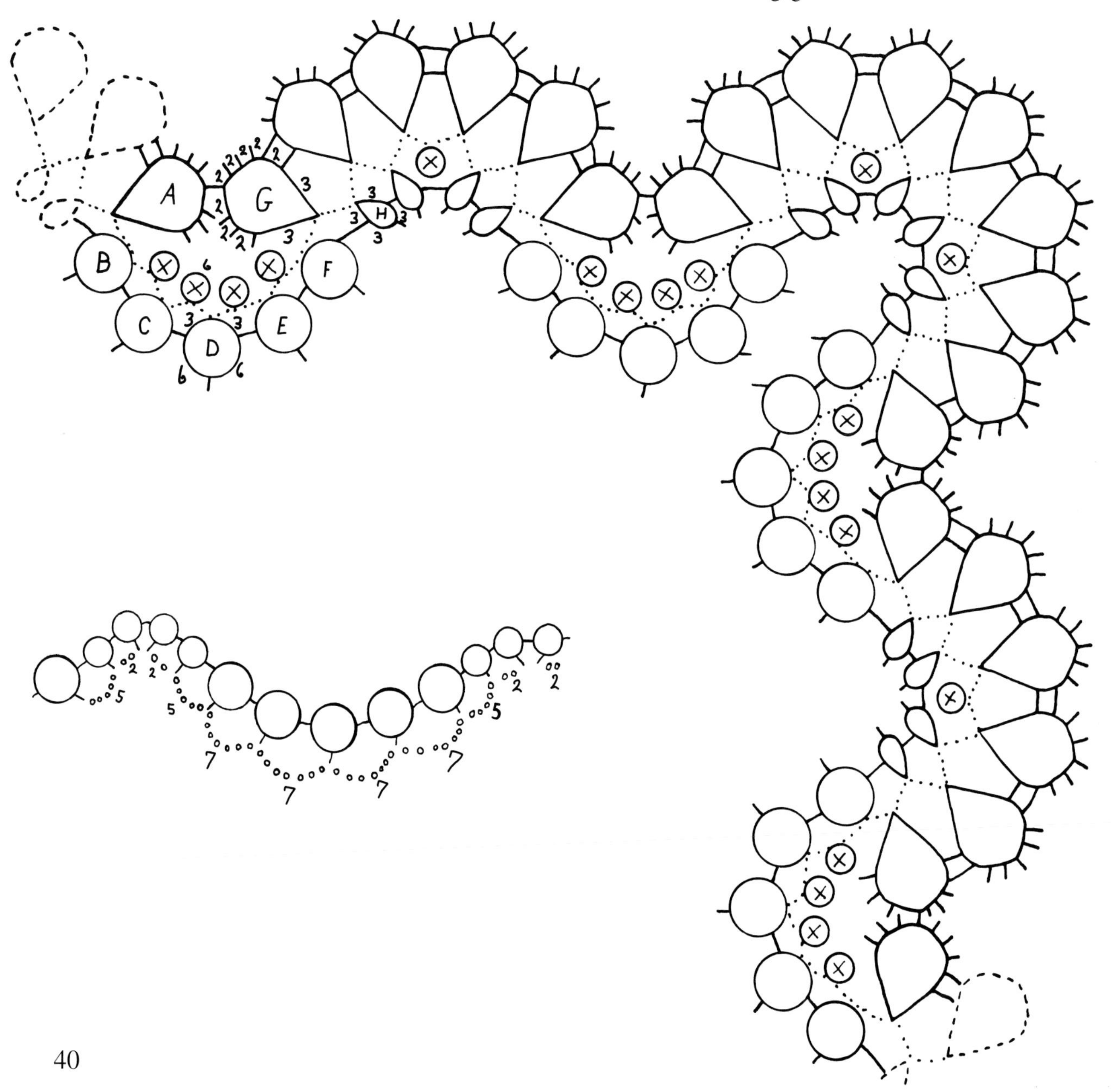

Nr. 13: Firkantet dug

Materialer: 2 orkisskytter
Garn: DMC Cebelia nr. 10
Størrelse: 42 × 42 cm

Orkeres efter mønstertegningen. Bemærk at buerne i dugens kant har picot'er i stedet for ringe.

No 13: Square table cloth

Materials: 2 shuttles
Thread: DMC Cebelia no 10
Size: 42 × 42 cm

Note that the chains at the edge have picots instead of rings.

Nr. 13: Viereckiges Tischtuch

Material: 2 Schiffchen
Garn: DMC Cebelia nr. 10
Maß: 42 × 42 cm

Nach dem Muster okkieren. Beachten, daß die Bögen in der Kante des Tischtuches Ösen anstatt Ringe haben.

Nr. 14: Rund flakon

Materialer: 2 orkisskytter
Garn: DMC Cebelia nr. 30
Mål: 27 cm i diameter

Orkeres efter mønstertegningen. Den inderste omgang består af 16 ringe. I fjerde omgang orkeres ring A, B og C med skytte 1 og ring D, E og F med skytte 2.

No 14: Round doily

Materials: 2 shuttles
Thread: DMC Cebelia no 30
Size: diameter 27 cm

The inner round is made of 16 rings. In round four, rings A, B and C are worked with shuttle 1 and rings D, E and F with shuttle 2.

Nr. 14: Rundes Deckchen

Material: 2 Schiffchen
Garn: DMC Cebelia nr. 30
Maß: 27 cm im Diameter

Nach dem Muster okkieren. Der innere Kreis besteht aus 16 Ringen. In der vierten Runde werden Ring A, B und C mit Schiffchen 1 unf Ring D, E, und F mit Schiffchen 2 okkiert.

Nr. 15: Lysmanchet

Materialer: 2 orkisskytter
Garn: DMC Cebelia nr. 30
Mål: Bredde ca. 5 cm

Begynd med at orkere båndet i midten. Båndets længde er 40 ringe og enkelttrådene mellem ringene måler ca. 1,5 cm. Båndet samles til en ring inden de yderste omgange føjes til.
Træk et smalt bånd i trådene på midten.

No 15: Candle guard

Materials: 2 shuttles
Thread: DMC Cebelia no 30
Size: width app. 5 cm

First work the middle band. The length is 40 rings and the single thread between the rings is app. 1.5 cm. Form the band into a circle by joining the first to last ring before the outer rounds are made.
Pull a slim silk ribbon between the single threads in the middle.

Nr. 15: Lichtmanchette

Material: 2 Schiffchen
Garn: DMC Cebelia nr. 30
Maß: Breite ca. 5 cm

Mit dem okkieren des Bandes in der Mitte anfangen. Die Länge des Bandes besteht aus 40 Ringen, die Einzelfäden zwischen den Ringen sind ca. 1,5 cm lang. Das Band muss einen Ring bilden, bevor die äusseren Runden hinzugefügt werden. Ein schmales Band durch die Fäden in der Mitte ziehen.

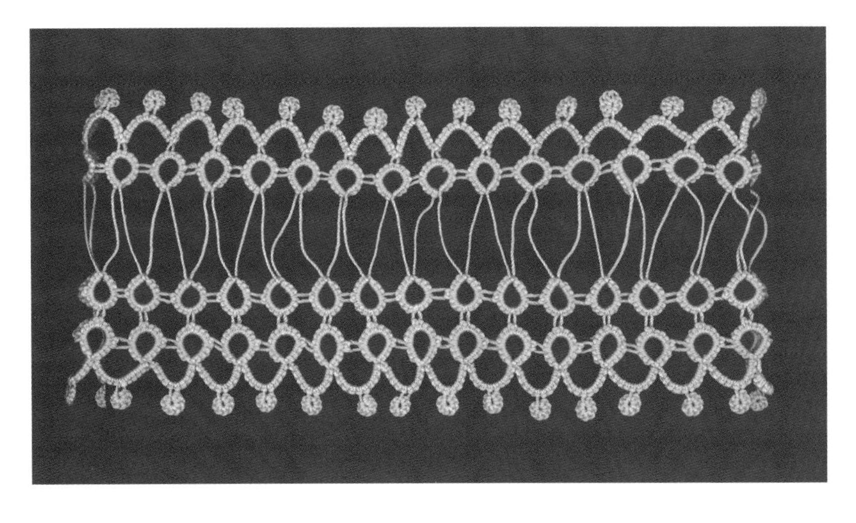

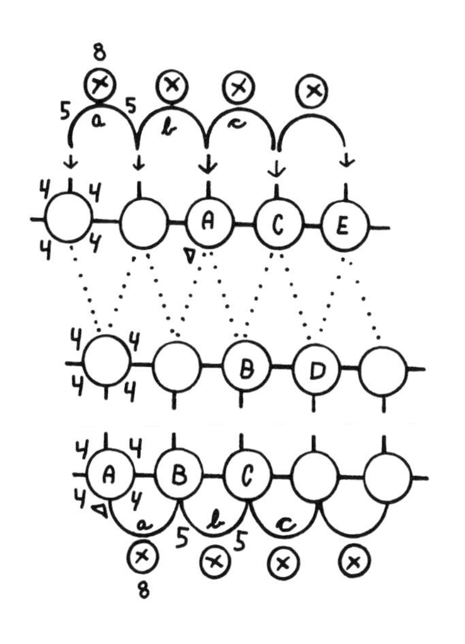

Nr. 16: Mellemværk

Materialer: 2 orkisskytter
Garn: DMC Cordonnet Spécial nr. 70
Mål: bredde ca. 8,5 cm

Orkeres efter mønstertegningen. Picot'erne skal være meget små. Husk at bytte skytterne ved ~. Ringene orkeres med skytte 1.

No 16: Insertion

Materials: 2 shuttles
Thread: DMC Cordon. Spécial no 70
Size: width app. 8.5 cm

Tat according to the diagram. The picots have to be very small. Remember to exchange shuttles at ~. Tat the rings with shuttle 1.

Nr. 16: Einsatz

Material: 2 Schiffchen
Garn: DMC Cordon. Spécial nr. 70
Maß: Breite ca. 8,5 cm

Nach dem Muster okkieren. Die Ösen müssen sehr klein sein. Beachten, daß die Schiffchen bei ~ getauscht werden. Die ringe mit Schiffchen 1 okkieren.

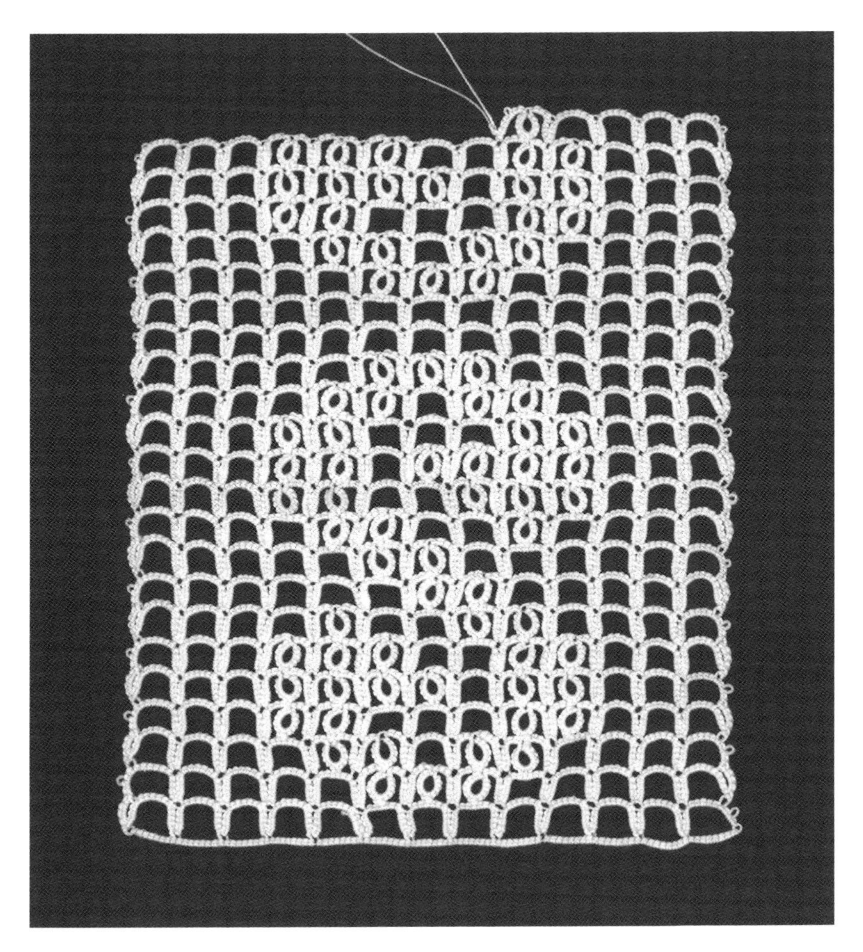

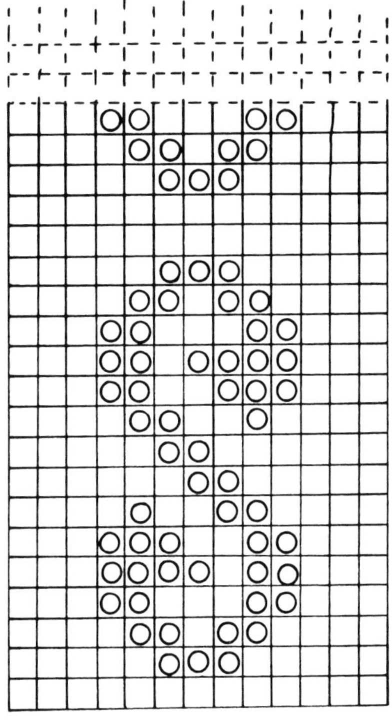

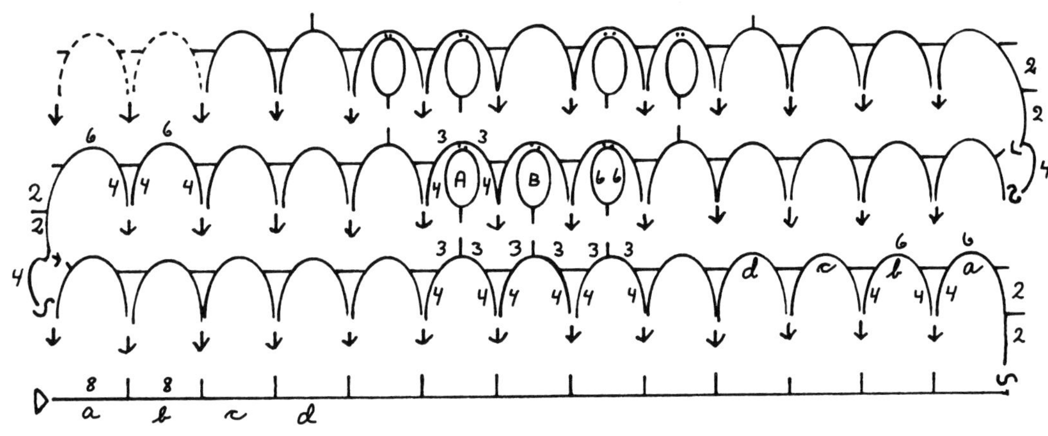

Nr. 17: Besætning til lampeskærm

Materialer: 2 orkisskytter, dråbeformede perler
Garn: DMC Cordonnet Spécial nr. 40
Mål: blonde: bredde ca. 4 cm
bånd: bredde ca. 1,75 cm

Blonde: Perlerne trækkes på tråden før der vindes på skytte 2. Spiralsnorene måler ca. 1,5 cm.
Bånd: Ringene A - A' orkeres med hver sin orkisskytte.
Blonde og bånd er orkeret med ret- og vrang side.
Montering: Blonde og bånd sys på lampeskærmen som vist på tegningen.

No 17: Trimmings for a lamp shade

Materials: 2 shuttles, beads as drops
Thread: DMC Cordon. Spécial no 40
Size: lace: width app. 4 cm
band: width app 1.75 cm

Lace: Place the beads on the thread before the thread is wound onto shuttle 2. The spiral cords are app. 1.5 cm long.
Band: The rings A - A' are tatted with different shuttles.
The lace and the band are tatted with right and wrong sides.
Mounting: Sew the lace and the band on a lamp shade as shown on the drawing.

Nr. 17: Besatz für Lampenschirm

Material: 2 Schiffchen, tropfengeformte Perlen
Garn: DMC Cordon. Spécial nr. 40
Maß: Spitze: breite ca. 4 cm
Band: breite ca. 1,75 cm

Spitze: Die Perlen auf den Faden ziehen, bevor er auf Schiffchen 2 gewickelt wird. Die Spiralschnuren sind ca. 1,5 cm lang.
Band: Die Ringe A-A' mit dem jeweiligen Schiffchen okkieren.
Spitze und Band sind mit Rechte- und Linke seite okkiert.
Fertigstellung: Spitze und Band am Lampenschirm annähen, siehe Zeichnung.

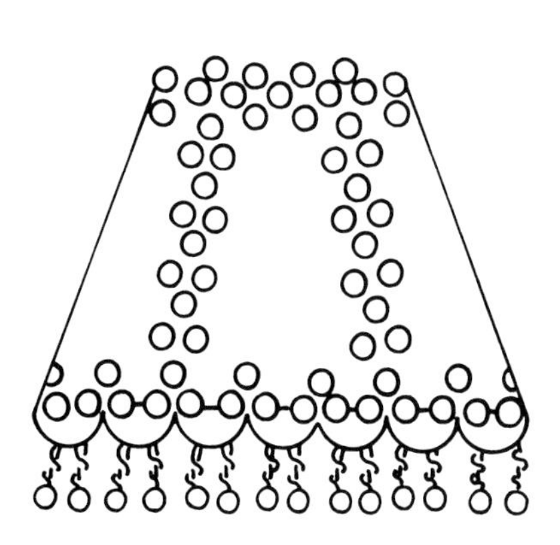

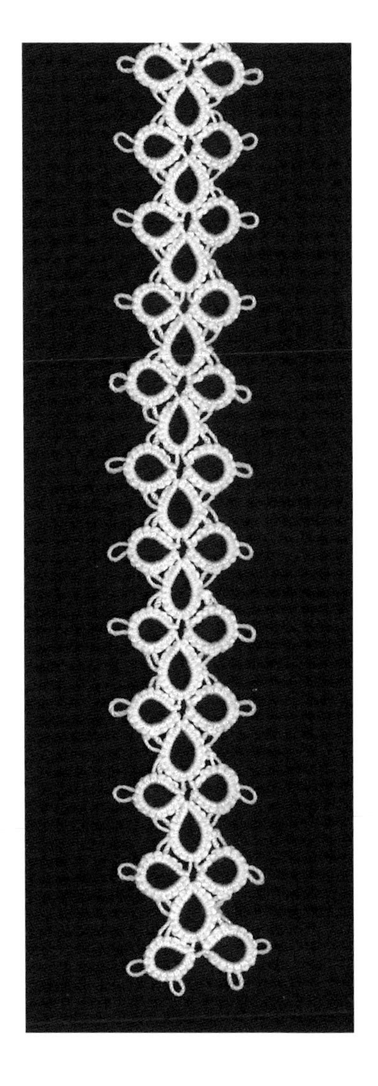

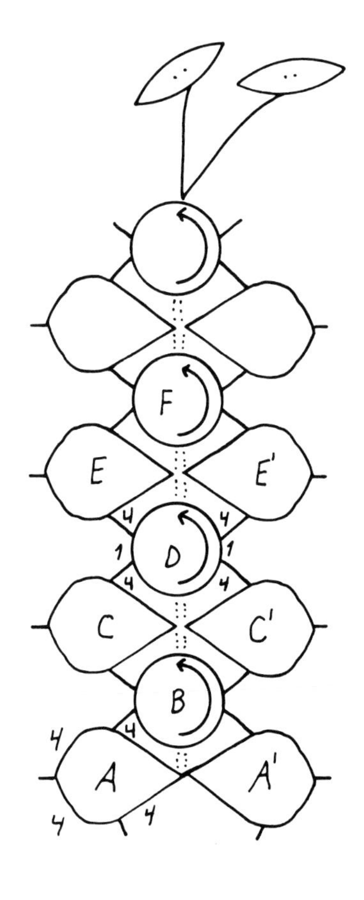

Nr. 18: Motiv

Materialer: 2 orkisskytter, 1 sikkerhedsnål
Garn: DMC Cordonnet Spécial nr. 40
Mål: ca. 5 × 5 cm

Orker først buen a. Ringene A-E orkeres med skytte 2. Buerne sættes på en sikkerhedsnål. Når alle buerne er orkeret vendes arbejdet. Ringen orkeres og buerne føjes til fortløbende.

No 18: Motif

Materials: 2 shuttles, 1 safety pin
Thread: DMC Cordon. Spécial no 40
Size: app. 5 × 5 cm

Work chain at first then the rings A-E with shuttle 2. Place the chains on the safety pin. Turn the work when all the chains are finished. Tat the centre ring and join the chains continuously.

Nr. 18: Motiv

Material: 2 Schiffchen, 1 Sicherheitsnadel
Garn: DMC Cordon. Spécial nr. 40
Maß: ca. 5 × 5 cm

Erst den Bogen a okkieren. Die Ringe A-E mit Schiffchen 2 okkieren. Die Bögen an einer Sicherheitsnadel befestigen. Wenn alle Bögen okkiert sind, die Arbeit umkehren. Den Ring okkieren und die Bögen fortlaufend hinzufügen.

Besætning til lampeskærm - Trimmings for a lamp shade - Besatz für Lampenschirm

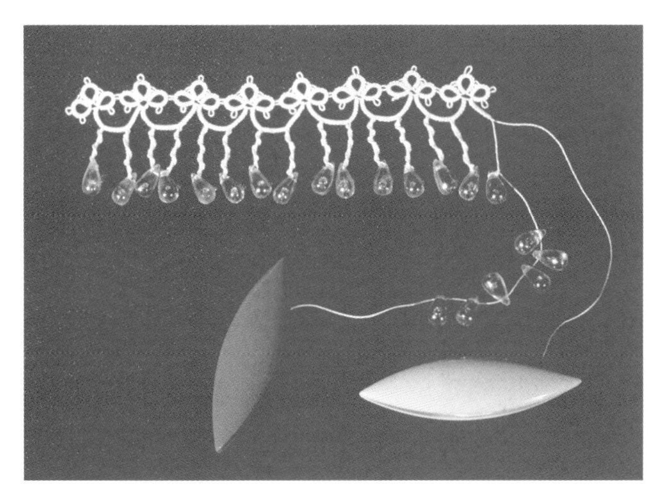

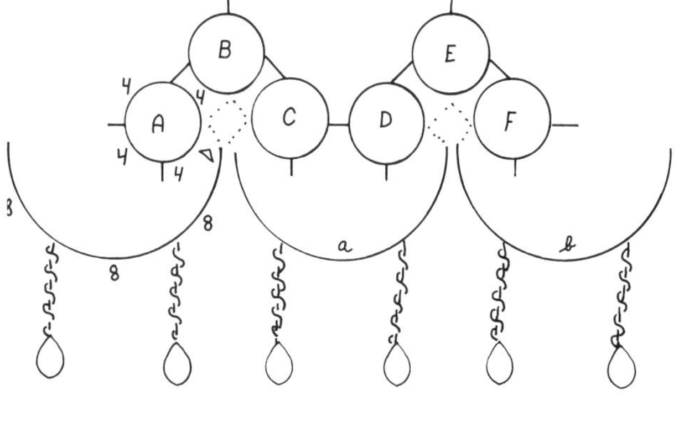

Nr. 19: Blonde med rulleknuder

Materialer: 1 orkisskytte + hjælpetråd
Garn: DMC Cebelia nr. 30
Mål: bredde 2 cm

Orkeres efter mønstertegningen. Rulleknuderne består af ca. 30 snoninger.

No 19: Lace with roll stitches

Materials: 1 shuttle + ball thread
Thread: DMC Cebelia no 30
Size: width 2 cm

Tat according to the diagram. There are app. 30 roll stitches on each ring.

Nr. 19: Spitze mit Rollknoten

Material: 1 Schiffchen + Hilfsfaden
Garn: DMC Cebelia nr. 30
Maß: Breite 2 cm

Nach dem Muster occhieren. Die Rollknoten bestehen aus ca. 30 Windungen.

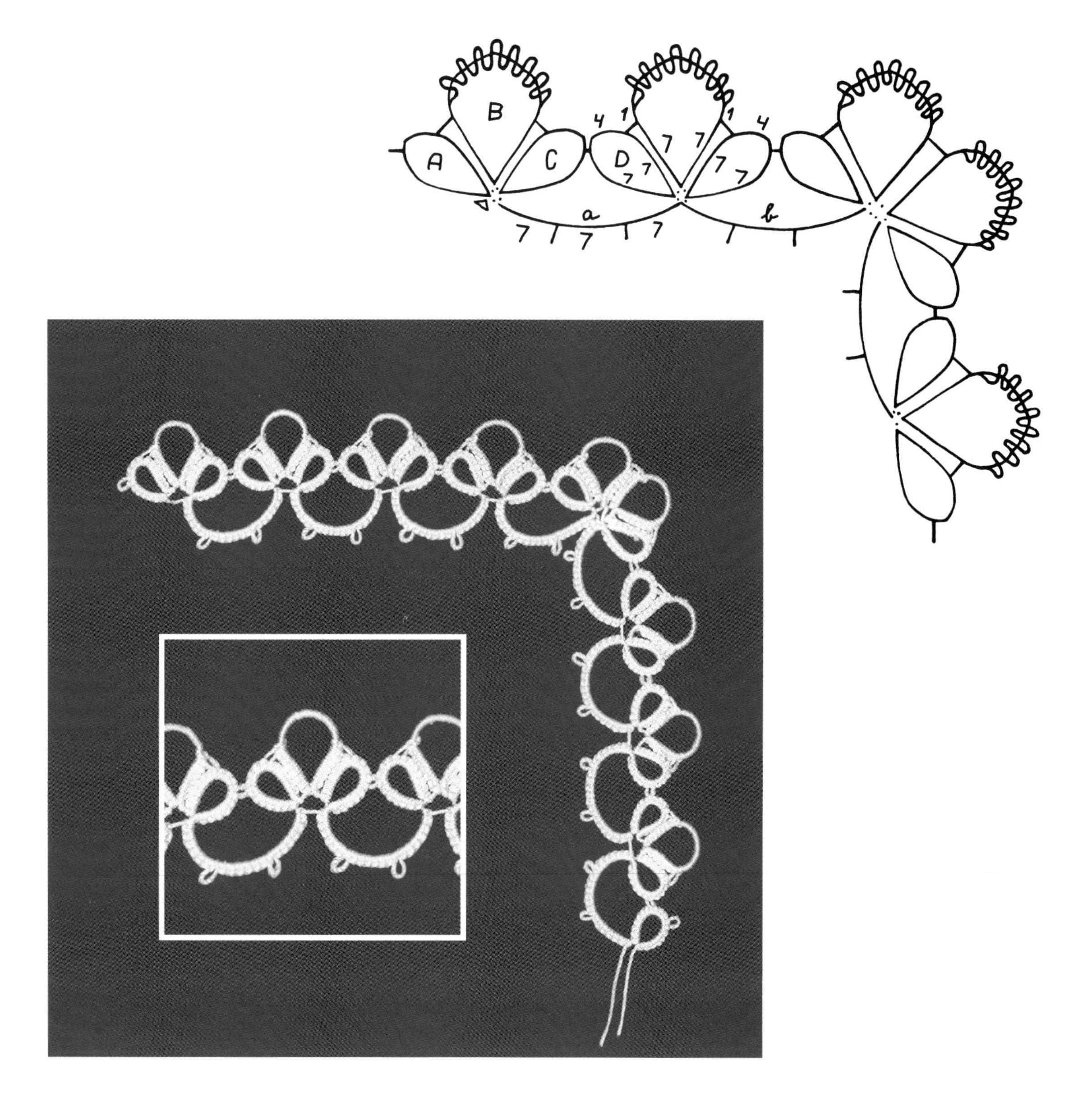

Nr. 20: Påskeæg

Materialer: 2 orkisskytter, 1 hønseæg
Garn: DMC Cebelia nr. 30
Mål: højde 5,5 cm

Start med at orkere blomsten i bunden af ægget. Orker derefter de 6 midterblomster og saml dem til en ring.
Saml bund-blomsten og blomster-ringen med buer. Afslut med øverste række buer. Ringene er orkeret med skytte 2 og picot'erne foroven er ca. 7 mm lange.
Montering: Prik et lille hul i begge ender af ægget og pust indholdet ud. Træk en tråd gennem picot'erne foroven, kom ægget i „posen" og træk tråden til.
Dup ægget med Moravia dekorationsstivelse blandet i forholdet 1 del stivelse til 3 dele koldt vand. Tør det med en hårtørrer. Knæk forsigtigt æggeskallen og fjern den ved hjælp af en pincet.

No 20: Easter egg

Materials: 2 shuttles, 1 chicken egg
Thread: DMC Cebelia no 30
Size: height 5.5 cm

Start by tatting the flower for the bottom of the egg. Next tat the 6 centre flowers and join them to a ring.
Join the bottom flower and the flower ring with chains. Finish with the chains at the top. Tat the rings with shuttle 2 and the picots at the top are app. 7 mm long.
Mounting: Make a little hole at the top and bottom of the egg and blow the content out. Pull a thread through the long picots and put the egg in the "bag" and pull the thread tight.
Dab the egg with Moravia Decoration Starch (or any fabric stiffener) mixed in the scale of 1 part starch and 3 part cold water. Dry it with a hair dryer. Carefully break the egg shell and remove the pieces with a pair of tweezers.

Nr. 20: Osterei

Material: 2 Schiffchen, 1 Hühnerei
Garn: DMC Cebelia nr. 30
Maß: Höhe 5,5 cm

Mit dem Occhieren der Blume am unteren Teil des Eis anfangen. Danach die 6 mittleren Blumen occhieren und sie zu einem Ring sammeln.
Die untere Blume und den Blumenring mit Bögen zusammenfügen. Die Ringe sind mit Schiffchen 2 occhiert. Oben mit einer Reihe von Bögen abschliessen. Die Ösen oben sind ungefähr 7 mm Lang.
Fertigstellung: Oben und unten in das Ei ein Loch stechen, und den Inhalt hinaus pusten. Einen Faden durch die oberen Ösen ziehen, das Ei in die Tüte legen und den Faden zusammenziehen. Das Ei mit Moravia Dekorationsstärcke tupfen, (1 Teil Stärcke, 3 Teile kaltes Wasser) und es mit einem Föhn trocknen. Vorsichtig die Eischale brechen und sie mit einer Pinzette entfernen.

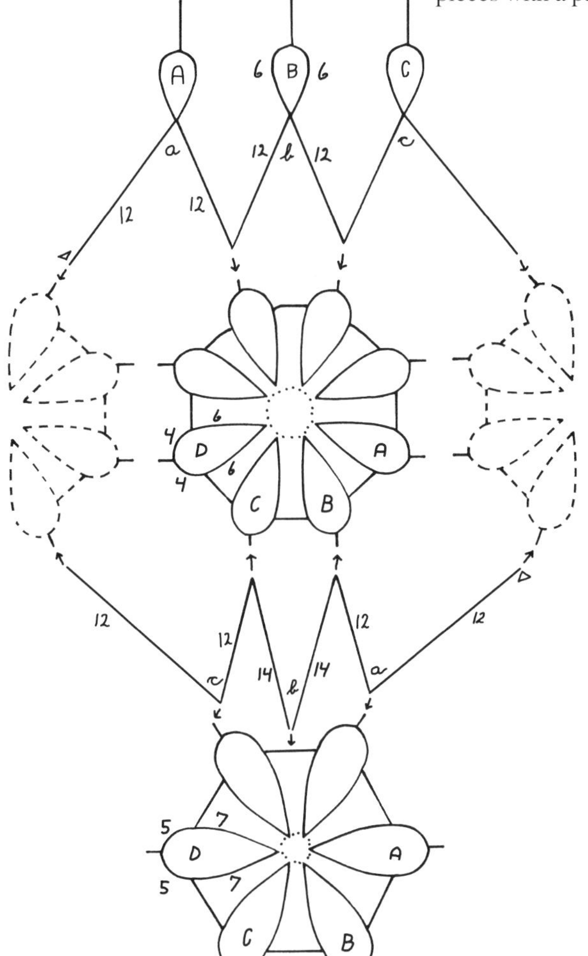

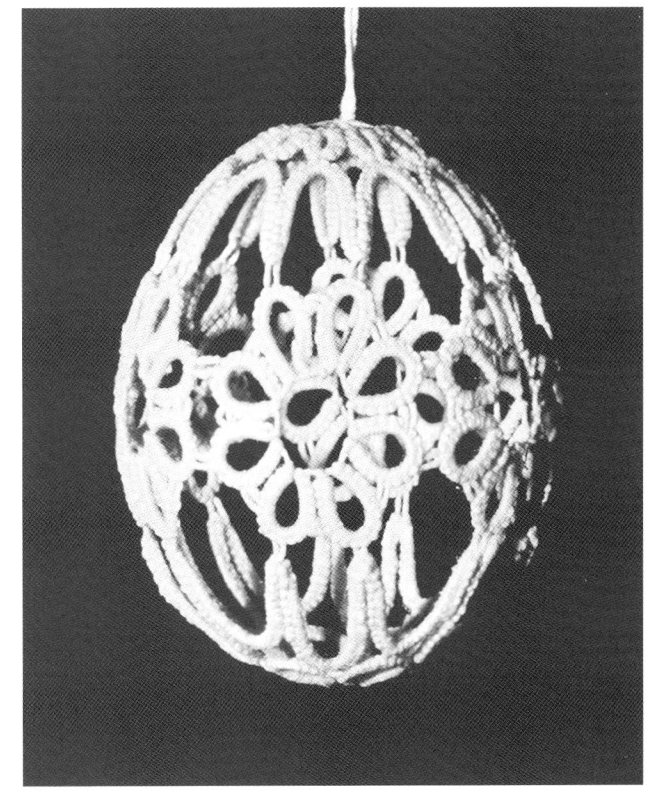

Nr. 21: Bogmærke

Materialer: 2 orkisskytter
Garn: DMC Cordonnet Spécial nr. 50
Mål: Spiralsnorens længde er 50 cm

Begynd med ring A. Orker 5 halve knuder mellem hver ring. Ringene B - J orkeres med skytte 2.
Når de halve knuder i spiralsnoren skubbes sammen vil ringene hænge i en klase.
Orker spiralsnoren og afslut med en klase ringe.
Ringen der holder snorene sammen består af 18 dobbeltknuder. Spiralsnoren lægges dobbelt gennem ringen før den trækkes sammen.

No 21: Bookmark

Materials: 2 shuttles
Thread: DMC Cordon. Spécial no 50
Size: the spiral cord: 50 cm

Start with ring A. Tat 5 half stitches between each ring. The rings B - J are tatted with shuttle 2.
When the half stitches in the spiral cord are pushed close together the rings will make a cluster.
Tat a spiral cord and finish with a cluster of rings.
Tat a ring of 18 double stitches to hold the cord together. Place the cord (double) in the ring before it is pulled together.

Nr. 21: Lesezeichen

Material: 2 Schiffchen
Garn: DMC Cordon. Spécial nr. 50
Maß: Die Länge der Spiralschnur ist 50 cm

Mit Ring A anfangen. 5 halbe Knoten zwischen jedem Ring occhieren. Die Ringe B - J mit Schiffchen 2 occhieren.
Wenn die halben Knoten der Spiralschnur zusammen geschoben werden, werden die Ringe traubenförmig aussehen.
Die Spiralschnur occhieren und mit einer Traube von Ringen abschliessen.
Den Ring, der die Schnüre mit 18 Doppelknoten zusammenhält, occhieren. Die Spiralschnur doppelt durch den Ring legen, bevor er zusammengezogen wird.

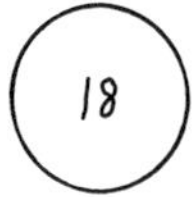

Nr. 22: Mini lysmanchet

Materialer: 1 orkisskytte + hjælpetråd, 14 små perler
Garn: DMC Cordonnet Spécial nr. 70
Mål: 4,5 cm i diameter

Orker først midterringen.
Træk 14 perler på hjælpetråden og orker efter mønstertegningen.
Snorene med perler er lange picot'er der er snoede, og færdige måler ca. 2 cm.

No 22: Mini candle guard

Materials: 1 shuttle + ball thread, 14 small beads
Thread: DMC Cordon. Spécial no 70
Size: diameter 4.5 cm

Start with the centre ring.
Place 14 beads on the ball thread. The threads with the beads are long twisted picots. The finished size of the long picots are app. 2 cm.

Nr. 22: Mini Kerzenmanchette

Material: 1 Schiffchen + Hilfsfaden, 14 kleine Perlen
Garn: DMC Cordon. Spécial nr. 70
Maß: 4,5 cm im Diameter

Zuerst den mittleren Ring occhieren.
14 Perlen auf den Hilfsfaden ziehen und nach dem Muster occhieren. Die Schnüre mit Perlen sind lange Ösen, die gezwirbelt und zum Schluß ca. 2 cm lang sind.

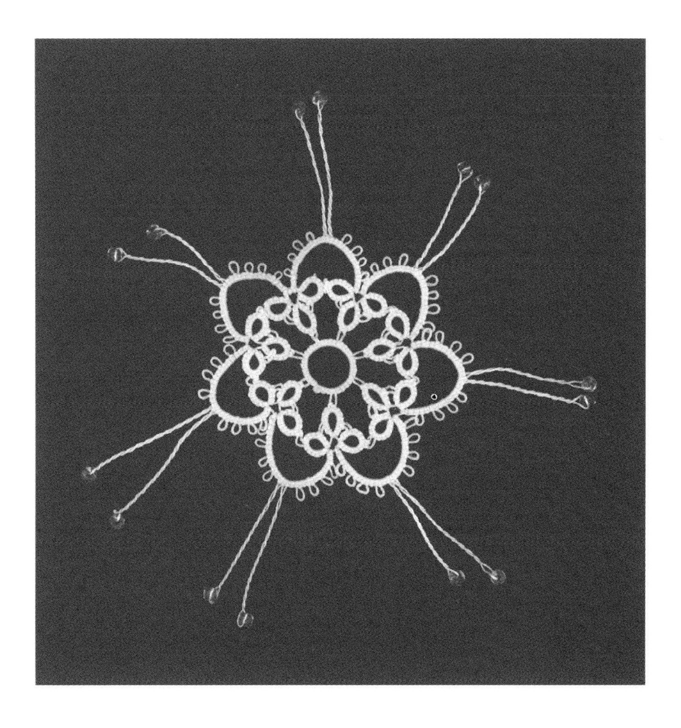

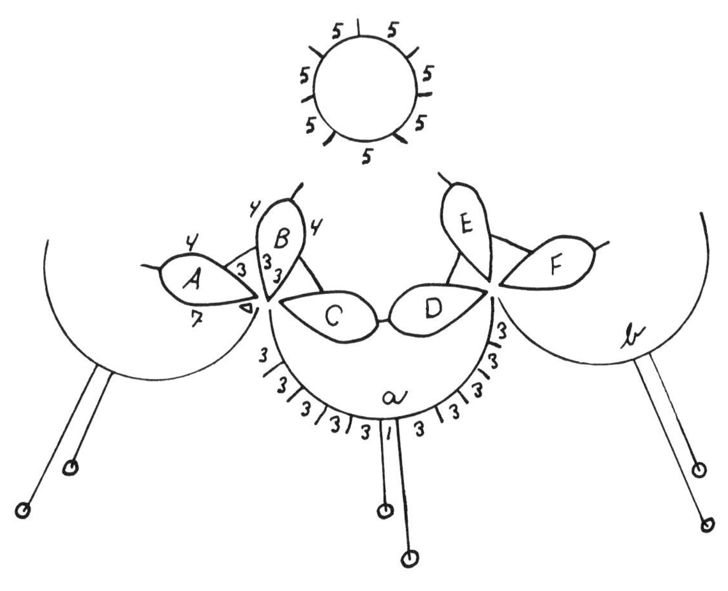

Nr. 23: Blonde til færdigt lommetørklæde

Materialer: 2 orkisskytter, 1 lommetørklæde uden hjørne
Garn: DMC Cordonnet Spécial nr. 70
Mål: bredde ca. 2 cm

Orkeres efter mønstertegningen i 1 omgang.
Start med at føje tråden til hulsømmen og orker buen a. Ringene G' og O' er orkeret med skytte 2.
Bemærk at lommetørklædet har tre forskellige hjørner.

No 23: Lace for ready-made handkerchief

Materials: 2 shuttle, 1 ready-made handkerchief without corner
Thread: DMC Cordon. Spécial no 70
Size: width app. 2 cm

The lace is worked in one round.
Begin by joining the thread to the hem stitch and tat chain a. Tat the rings G' and O' with shuttle 2.
Note that the handkerchief has tree different corners.

Nr. 23: Spitze für fertiges Taschentuch

Material: 2 Schiffchen, 1 Taschentuch ohne Ecken
Garn: DMC Cordon. Spécial nr. 70
Maß: Breite ca. 2 cm

Nach dem Muster in einer Runde occhieren.
Am Anfang den Faden zum Hohlsaum fügen und den Bogen a occhieren. Die Ringe G' und O' sind mit Schiffchen 2 occhiert.
Das Taschentuch hat 3 verschiedene Ecken.

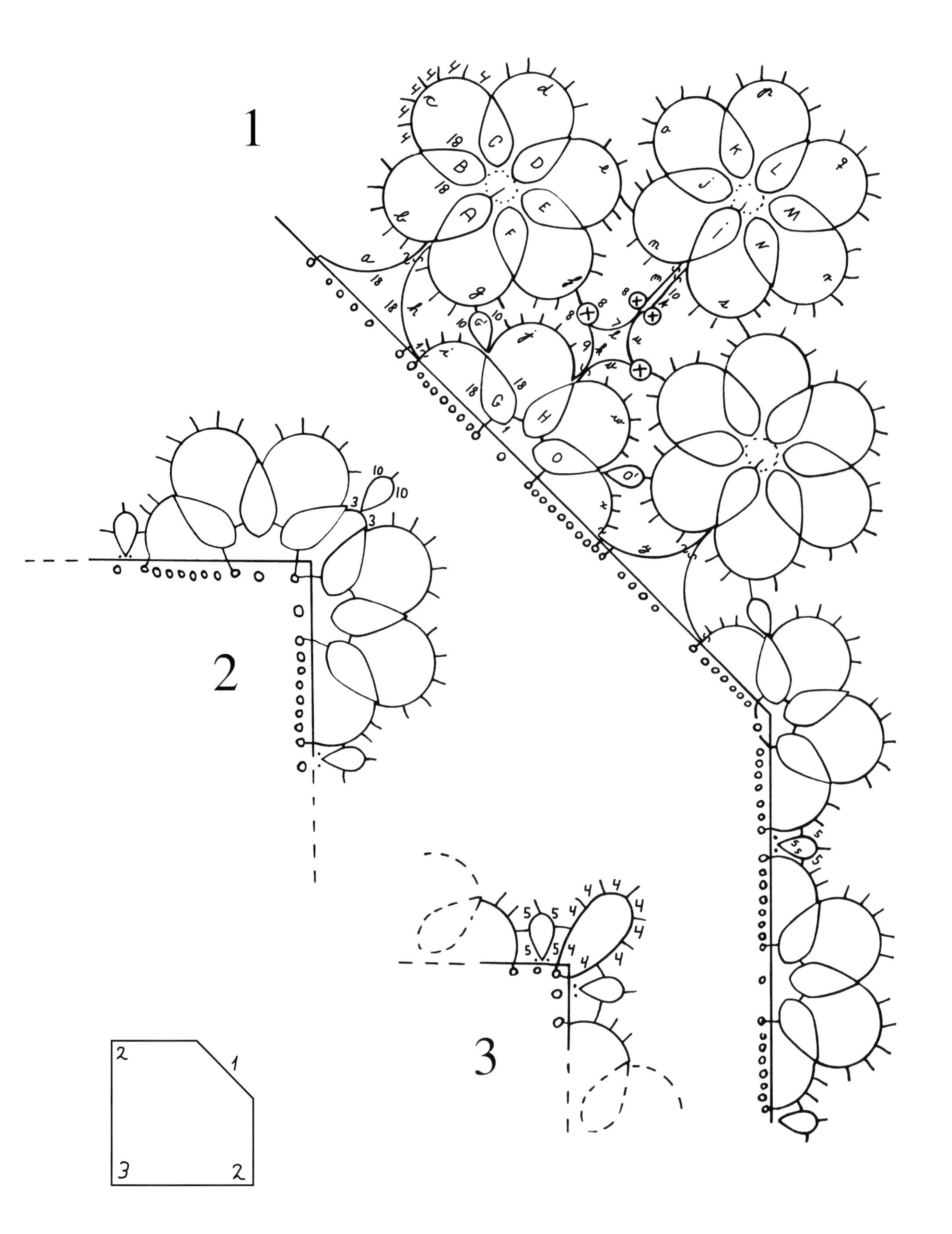
1
2
3

Nr. 24: Blonde

Materialer: 2 orkisskytter
Garn: DMC Cordonnet Spécial nr. 100
Mål: bredde ca. 6,5 cm

Orker først et antal blomster i splitringe. Blomsternes picot'er er orkeret over en 10 mm bred skabelon. Blomsterne samles med en slynget række af splitringe. Blomsternes picot'er er snoet 2 gange. Herefter orkeres den lige kant forneden med motiverne op til blomsterne. Bemærk at motivet i hjørnet er orkeret for sig. Afslut med de yderste buer med motiverne ned til blomsterne. Ring A' er orkeret med skytte 2

No 24: Lace

Materials: 2 shuttles
Thread: DMC Cordon. Spécial no 100
Size: width app. 6.5 cm

First work a number of flowers with split rings. The picots on the flowers are measured with a 10 mm width template. The flowers are joined with a curving row of split rings. The picots on the flowers are twisted twice. Then tat the straight inner edge with the motifs up to the flowers. Note that the corner motif is tatted separately. Finish with the outer chains with motifs down to the flowers. Ring A' is tatted with shuttle 2.

Nr. 24: Spitze

Material: 2 Schiffchen
Garn: DMC Cordon. Spécial nr. 100
Maß: Breite ca. 6,5 cm

Zuerst eine Zahl Blumen in gespaltenen Ringen occhieren. Die Ösen der Blumen sind über eine 10 mm breite Schablone occhiert. Die Blumen mit einer Reihe von gespaltenen Ringen, die eine Schlinge bilden, sammeln. Die Ösen der Blumen sind 2 mal gezwirbelt. Danach die gerade Kante unten mit dem Muster hinauf zu den Blumen occhieren. Bemerken, das das Muster in der Ecke für sich occhiert ist. Mit den äussersten Bögen mit dem Muster hinunter zu den Blumen abschliessen Ring A' ist mit Schiffchen 2 occhiert.

Nr. 25: 2-farvet blonde til lommetørklæde

Materialer: 3 orkisskytter, fint lærred
Garn: DMC Cordonnet Spécial nr. 80
farve hvid
DMC Blondegarn
farve 964 lys grøn
Mål: bredde 3,5 cm

Orkeres i 2 omgange efter mønstertegningen. Den grønne tråd ligger skjult „under pilene" i splitringene. Ringene betegnet med [bogstav+] er orkeret med den grønne tråd.
Montering: Sys med hulsøm på fint lærred.

No 25: 2 coloured lace for handkerchief

Materials: 3 shuttles, fine linen
Thread: DMC Cordon. Spécial no 80
colour white
DMC Spécial Dentelles colour
964 light green
Size: width 3.5 cm

Tatted in two rounds. The green thread is hidden "under the arrows" in the split rings . The rings marked with [letter+] are tatted with the green thread.
Mounting: Sew the lace to a piece of fine linen with a hemstitch.

Nr. 25: Zweifarbige Spitze für Taschentuch

Material: 3 Schiffchen, ein Stück feines Leinen
Garn: DMC Cordon. Spécial nr. 80,
Farbe weiß
DMC Spécial Dentelles Farbe 964
hellgrün
Maß: Breite 3,5 cm

In 2 Runden nach dem Muster occhieren. Der grüne Faden liegt „unter den Pfeilen" in den gespaltenen Ringen versteckt. Die Ringe, die mit [Buchstabe +] bezeichnet sind, werden mit dem grünen Faden occhiert.
Ferfigstellung: Mit Hohlsaum auf feine Leinen nähen.

Nr. 26: Blonde til færdigt lommetørklæde

Materialer: 2 orkisskytter, 1 lommetørklæde uden hjørne
Garn: DMC Cordonnet Spécial nr. 70
Mål: bredde ca. 1,5 cm

Orker først hjørnet. Den hele blomst og de 2 halve blomster orkeres hver for sig og føjes direkte på lommetørklædet.
Afslut med den yderste omgang som danner blonde hele vejen rundt om lommetørklædet.
Bemærk at lommetørklædet har 3 forskellige hjørner.

No 26: Lace for ready-made handkerchief

Materials: 2 shuttles, 1 handkerchief without corner
Thread: DMC Cordon. Spécial no 70
Size: width app. 1.5 cm

First tat the corner. The complete flower and the two half flowers are tatted separately and joined directly to the handkerchief.
Finish with the outside round which goes the whole way around the handkerchief.
Note that the handkerchief has tree different corners.

Nr. 26: Spitze für fertiges Taschentuch

Material: 2 Schiffchen, 1 Taschentuch ohne Ecke
Garn: DMC Cordon. Spécial nr. 70
Maß: Breite ca. 1,5 cm

Zuerst die Ecke occhieren. Die ganze Blume und die 2 halben Blumen jede für sich occhieren und direkt zum Taschentuch fügen.
Mit der äußeren Runde abschliessen, die Spitze um das ganze Taschentuch bildet.
Das Taschentuch hat 3 verschiedene Ecken.

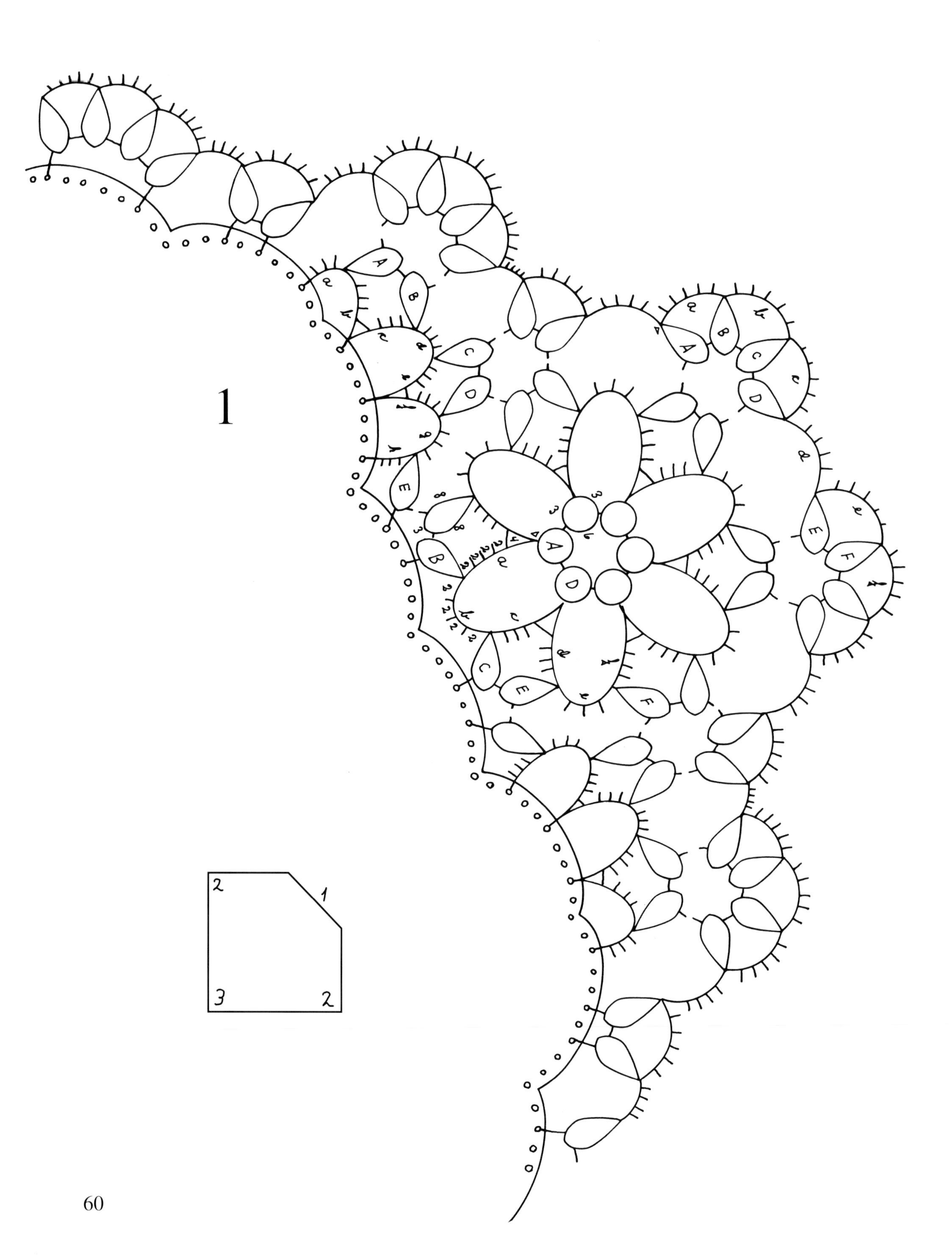
1

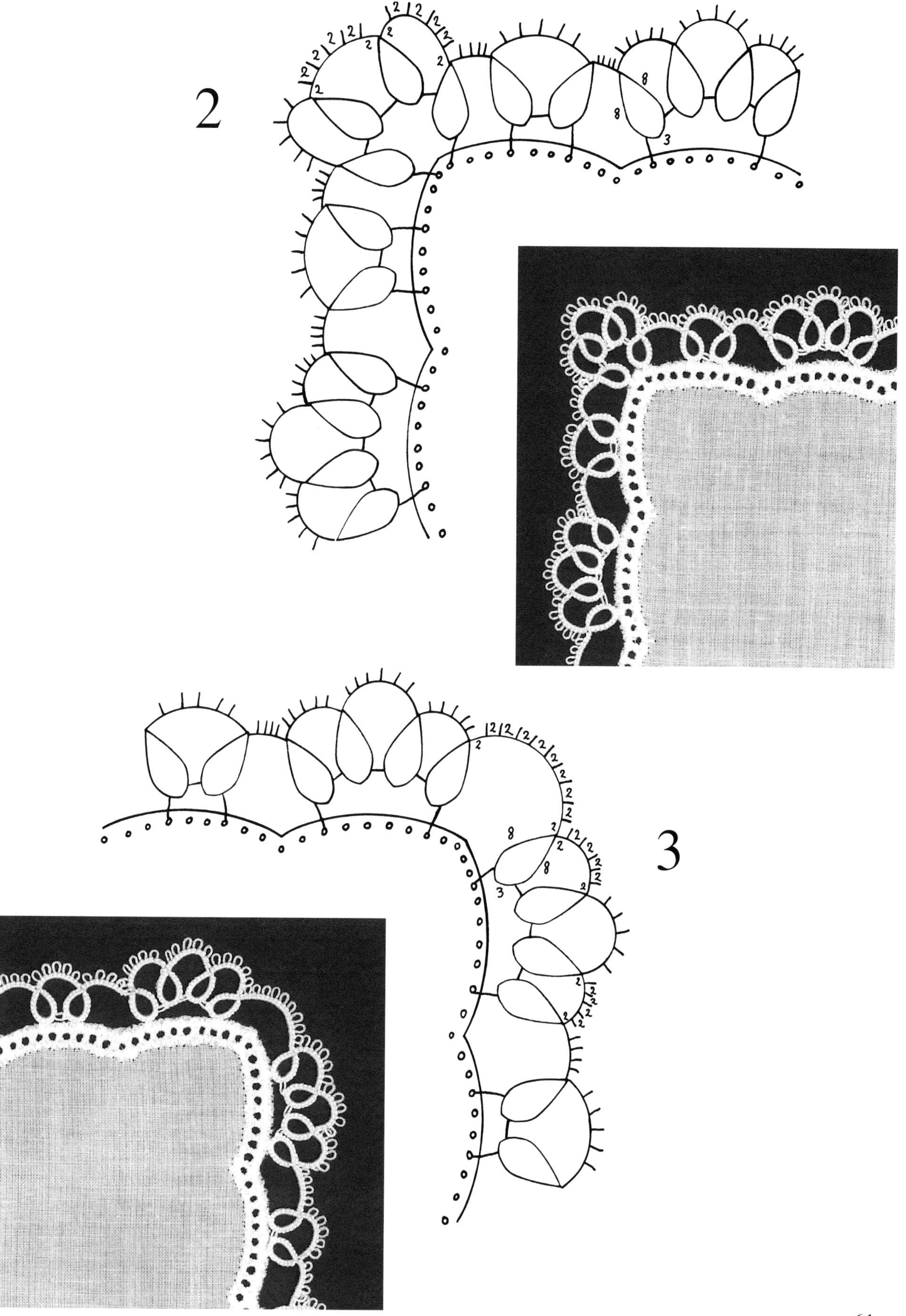
2
3

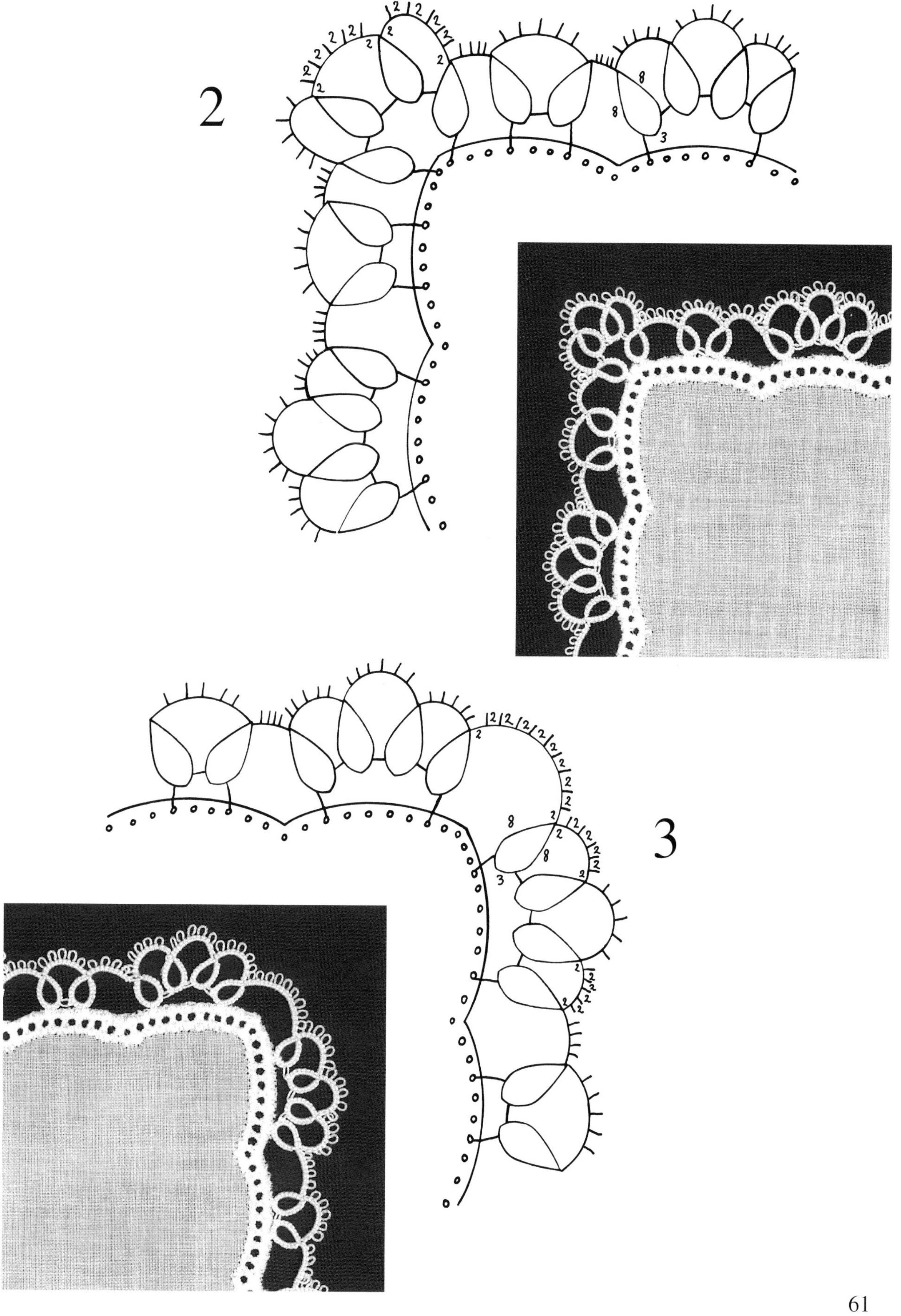
2
3

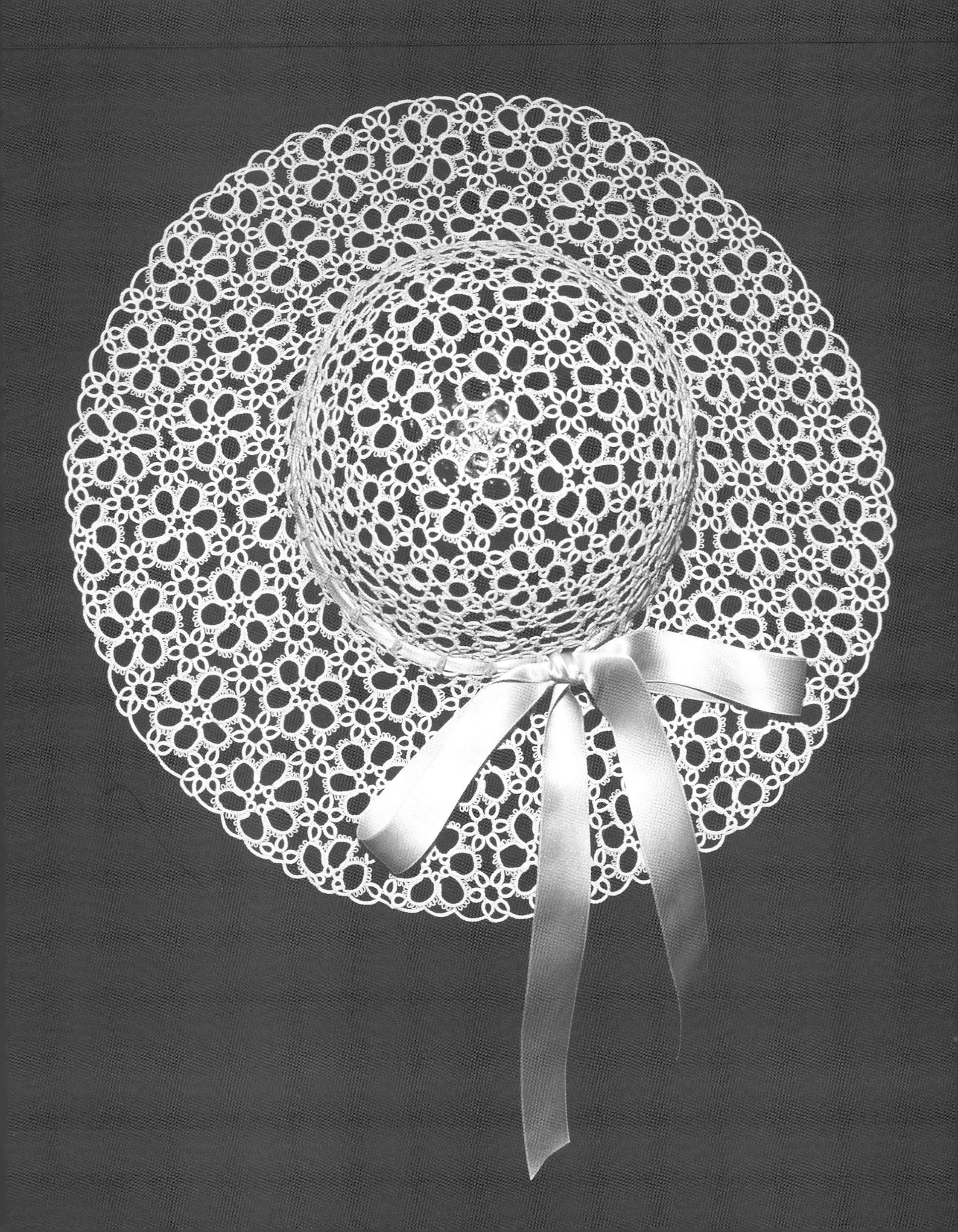

Nr. 27: Brudehat

Materialer: 2 orkisskytter
Garn: DMC Cebelia nr. 30
Mål: hovedmål ca. 58 cm. Hattebåndet måler 2,5 cm i bredden og giver plads til et silkebånd på 1,5 cm.

Hattepulden består af fem forskellige blomster der føjes sammen som vist på oversigtstegningen. Kun „Blomst 4" og „Blomst 5" føjes til hattebåndet. Skyggen består af fem forskellige blomster der ligeledes føjes sammen som vist på oversigtstegningen. Bemærk at „Blomst 1" indgår i både puld og skygge. „Blomst 6" og „Blomst 7" føjes til hattebåndet.
Skyggen afsluttes med en kant der føjes til „Blomst 1, 8 og 9".

No 27: Brides hat

Materials: 2 shuttles
Thread: DMC Cebelia no 30
Size: head size app. 58 cm. The hatband measures 2.5 cm and allows for a 1.5 cm wide silk ribbon.

The crown of the hat is made of 5 different flowers what are joined together as shown below. Only "Blomst 4" and "Blomst 5" are joined to the hatband. The brim is also made of 5 different flowers joined together as shown below. Note that "Flower 1" is used in both crown and brim. "Blomst 6" and "Blomst 7" are joined to the hatband. The brim is finished with an edge that is joined to "Blomst 1, 8 and 9".

Nr. 27: Brauthut

Material: 2 Schiffchen
Garn: DMC Cebelia nr. 30
Maß: Kopfmass ca. 58 cm. Hutband ca. 2,5 cm breit und Platz für ein Seidenband ca. 1,5 cm

Der Kopf besteht aus 5 verschiedenen Blumen, die zusammengefügt werden, wie die Übersichtszeichnung zeigt. Nur „Blomst 4" und „Blomst 5" werden zum Hutband gefügt. Die Krempe besteht aus 5 verschiedenen Blumen, die gleichfalls zusammengefügt werden, wie die Übersichtszeichnung zeigt. Bemerken, daß „Blomst 1" sowohl im Kopf als auch in der Krempe gebraucht wird. „Blomst 6" und „Blomst 7" zum Hutband fügen. Die Krempe mit einer Kante, die zu „Blomst 1, 8 und 9" gefügt wird, abschliessen.

Skygge - Brim - Krempe

Puld- Crown - Kopf

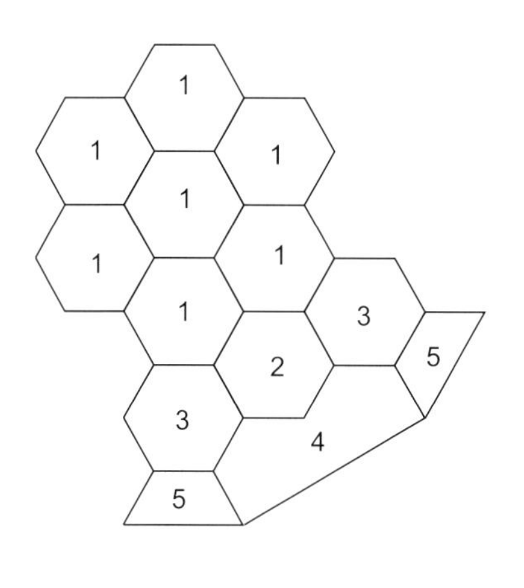

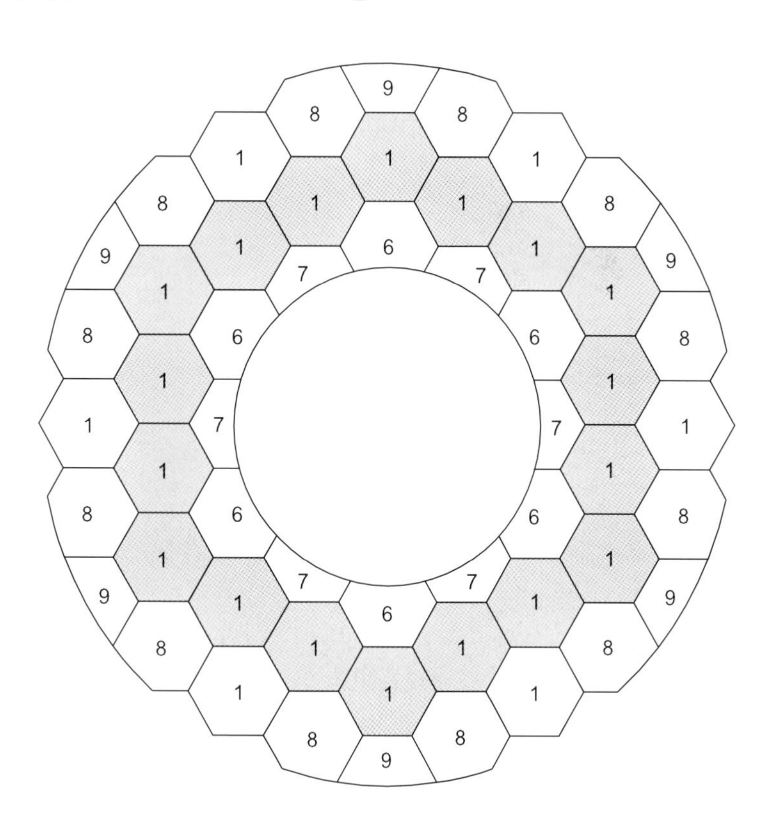

Hattebånd

Start med at orkere hattebåndet efter mønstertegningen. Orker først ring A, derefter buen a og sæt en clips i før splitring B orkeres. Buen b føjes til ring A's picot. Båndets længde er på 54 ringe. Mønsterets pile angiver stederne for sammenføjninger mellem puld og skygge.

Hatband

Start by tatting the hatband according to the diagram. First tat ring A, next the chain a and place a paper clip before the split ring B is tatted. The chain b is joined to the picot in ring A. The band is made of 54 rings. The arrows on the diagram show where to join the crown to the brim.

Hutband

Anfangen mit dem Occhieren vom Hutband nach dem Muster. Zuerst Ring A occhieren, danach den Bogen a und eine Klammer einsetzen bevor der gespaltene Ring B occhiert wird. Den Bogen b zur Öse von Ring A fügen. Die Länge des Bandes besteht aus 54 Ringe. Die Pfeile des Musters geben die Stellen des Zusammenfügens zwischen Kopf und Krempe an.

Blomst 4 Blomst 5

E C A
3 2 2 3
10
8 8 8
e d c b a
8 8 8
10
F D B
3 2 2 3

Blomst 7 Blomst 6

Blomst 1

Orker nu pulden. „Blomst 1" er grundmodellen. Bemærk antallet af dobbeltknuder på dette mønster, da der på de følgende mønstre kun er angivet antal af dobbeltknuder hvor dette afviger fra „Blomst 1".
Orker 7 blomster til puldens top.

Now tat the crown. "Blomst 1" is the basic model. Note the number of double stitches on this diagram, the numbers on the following diagrams are only given if they differ from "Blomst 1".
Tat 7 flowers for the crown.

Jetzt dem Kopf occhieren. „Blomst 1" ist das Grundmuster. Die Zahl der Doppelknoten in diesem Muster bemerken, denn in den folgenden Mustern ist die Zahl von Doppelknoten nur angegeben, wo sie von „Blomst 1" abweichen.
7 Blumen für die Spitze des Kopfes occhieren.

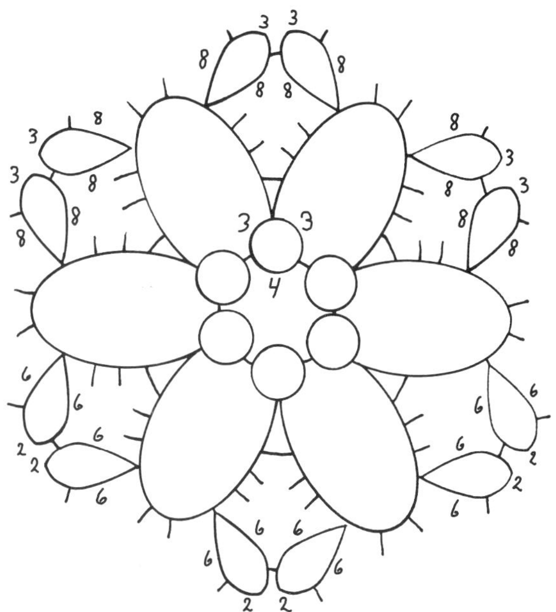

Blomst 2

Orker 6 stk. af „Blomst 2“.
Sammenføj som vist på oversigtstegningen.

Tat 6 pieces of "Blomst 2".
Join as shown on the crown diagram.

6 Stück „Blomst 2“ occhieren.
Zusammenfügen wie gezeigt (Übersichtszeichnung).

Blomst 3

Orker 6 stk. af „Blomst 3“.
Sammenføj som vist på oversigtstegningen.

Tat 6 pieces of "Blomst 3".
Join as shown on the crown diagram.

6 Stück „Blomst 3“ occhieren.
Zusammenfügen wie gezeigt (Übersichtszeichnung).

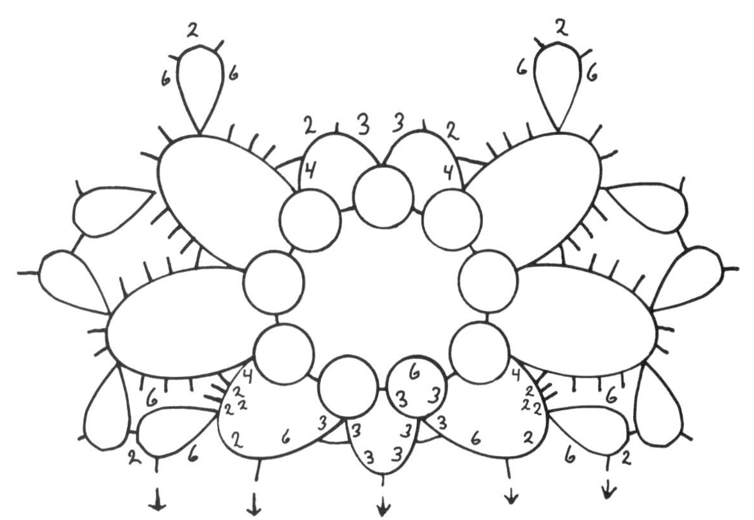

Blomst 4

Orker 6 stk. af „Blomst 4“.
Pilene betegner stederne for sammenføjninger til hattebåndet.

Tat 6 pieces of "Blomst 4".
The arrows mark where to join to the hatband.

6 Stück „Blomst 4“ occhieren.
Die Pfeile geben die Stellen des Zusammenfügens mit dem Hutband an.

Blomst 5

Orker 6 stk. af „Blomst 5“.
Pilene betegner stederne for sammenføjninger til hattebåndet.
Pulden er nu færdig.

Tat 6 pieces of "Blomst 5".
The arrows mark where to join to the hatband.
The crown is now finished.

6 Stück „Blomst 5“ occhieren.
Die Pfeile geben die Stellen des Zusammenfügens mit dem Hutband an.
Der Kopf ist jetzt fertig.

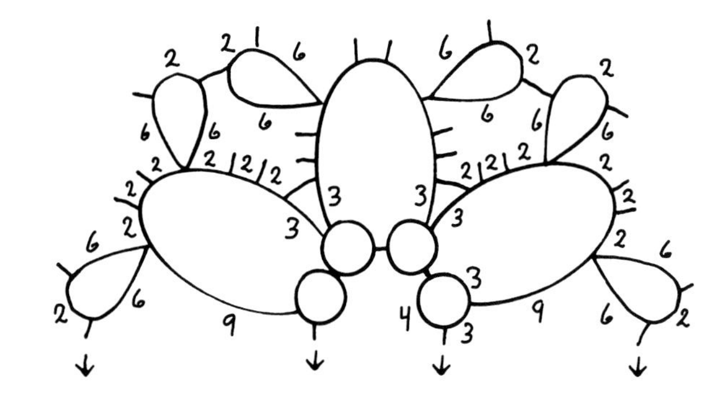

Nu orkeres skyggen. Orker først 18 stk. af „Blomst 1“ og føj dem sammen til en sekskant som vist på oversigtstegningen. Føj endnu 6 stk. af „Blomst 1“ til sekskanten som vist.

Now it is time for the brim. First work 18 pieces of "Blomst 1" and join them to a hexagon as shown on the brim diagram. Join 6 more pieces of "Blomst 1" to the hexagon as shown.

Jetzt die Krempe occhieren. Erst 18 Stück „Blomst 1“ occhieren und sie als Sechseck zusammenfügen, wie die Übersichtszeichnung zeigt. Noch 6 Stück „Blomst 1“ zu dem Sechseck fügen, wie gezeigt.

Blomst 6 og 7

„Blomst 6 og 7“ orkeres skiftevis og føjes til hattebåndet. Pilene betegner stederne for sammenføjninger.

Tat "Blomst 6 and 7" in turns and join them to the hatband. The arrows mark the places.

„Blomst 6 und 7“ occhieren und zum Hutband fügen. Die Pfeile geben die Stellen des Zufügens an.

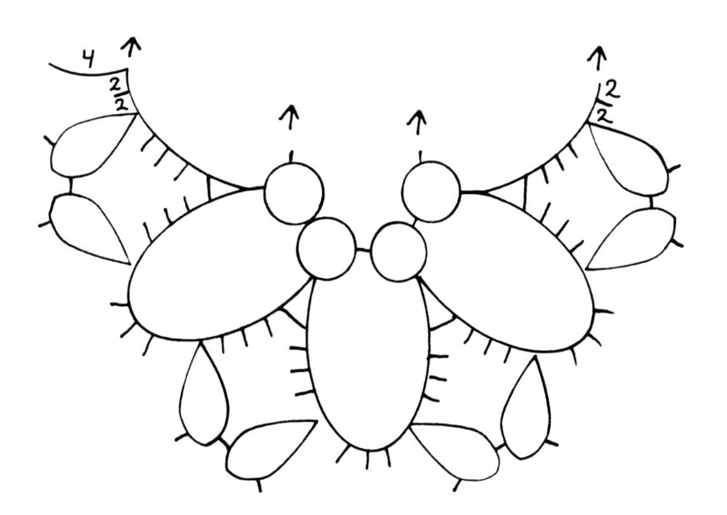

Blomst 6

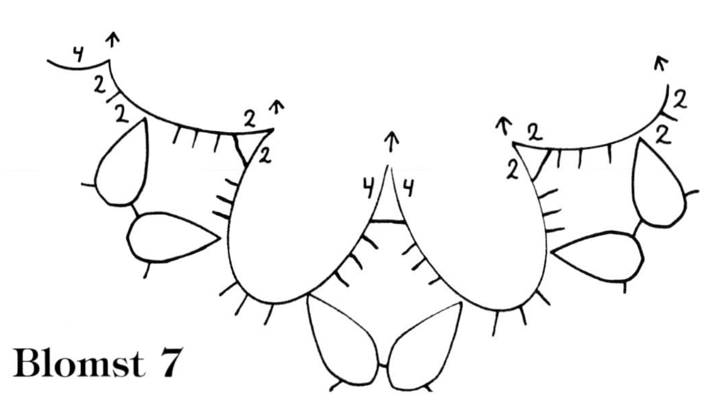

Blomst 7

Blomst 8 og 9

„Blomst 8 og 9" afslutter skyggen. Pilene betegner stederne for sammenføjninger med skyggens kant.

"Blomst 8 and 9" finish the brim. The arrows mark where the edge of the brim should be joined.

„Blomst 8 und 9" schließen die Krempe ab. Die Pfeilen geben die Stellen des Zusammenfügens mit der Kante der Krempe an.

Blomst 8

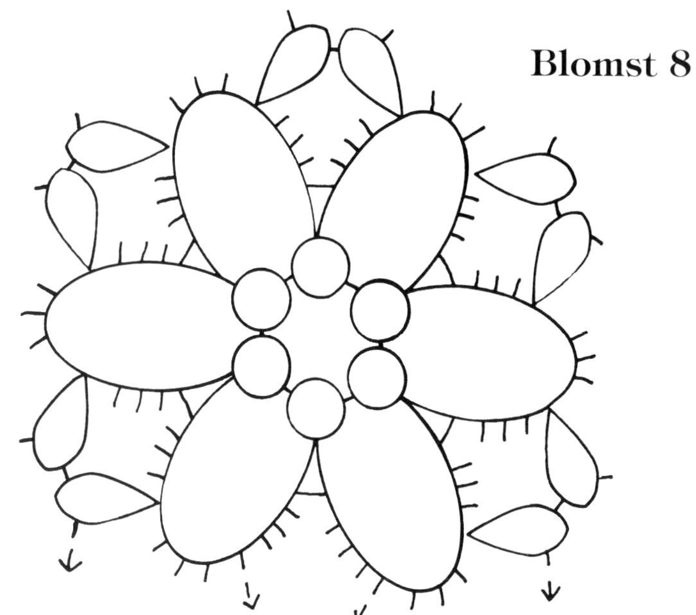

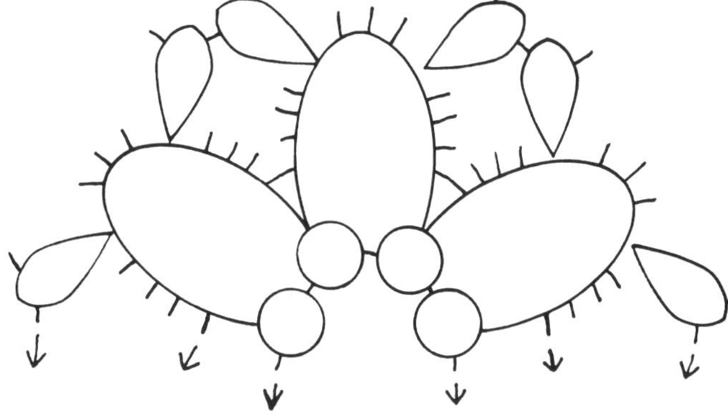

Blomst 9

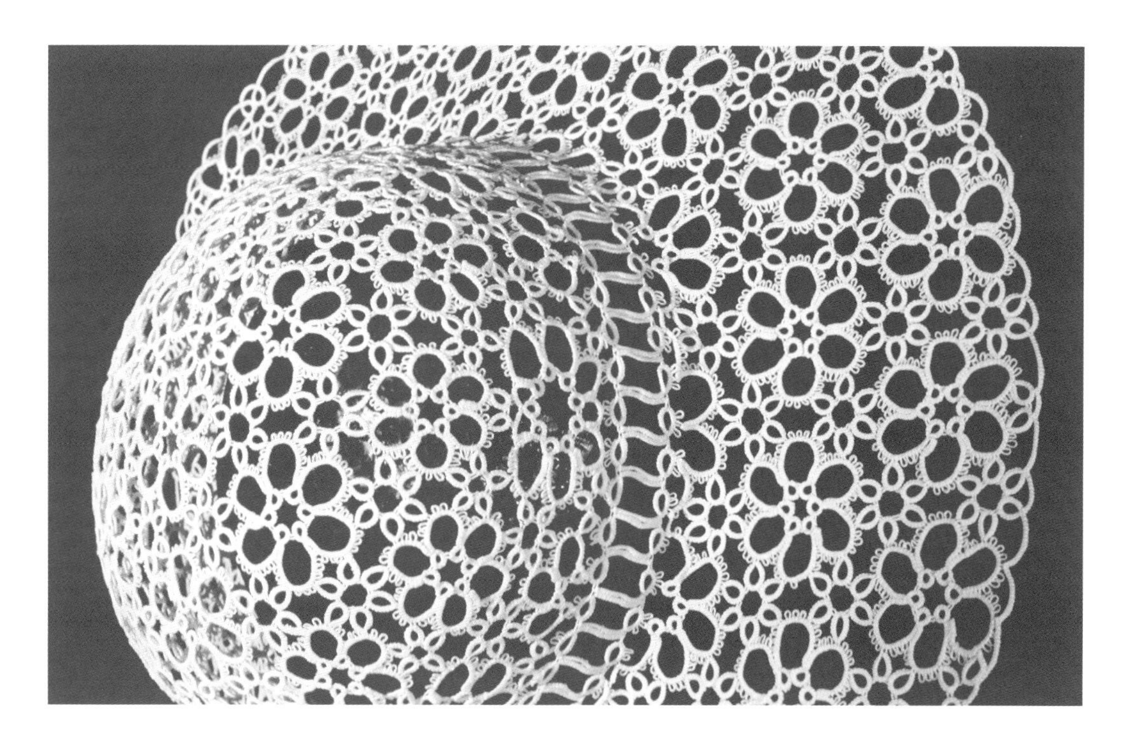

Skyggens kant

Skyggens kant orkeres efter mønstertegningen og føjes til „Blomst 1, 8 og 9". Pilene angiver stederne for sammenføjninger.

The edge of the brim

The edge of the brim is worked according to the diagram and joined to "Blomst 1, 8, and 9". The arrows mark where to join.

Die Kante der Krempe

Die Kante der Krempe nach dem Muster occhieren und zu „Blomst 1, 8 und 9" fügen. Die Pfeile geben die Stellen des Zufügens an.

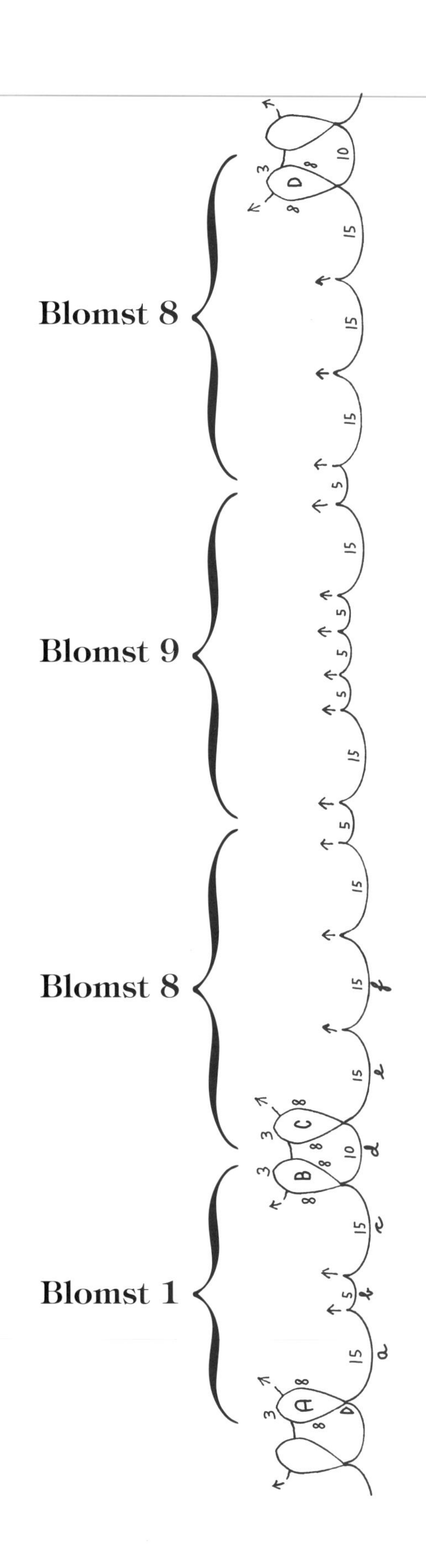

Montering

Dup hatten med Moravia dekorationsstivelse i forholdet 1 del stivelse til 3 dele koldt vand. Tør hatten med en hårtørrer. Kan evt. stives flere gange.

Mounting

Dab the hat with Moravia Decoration Starch mixed in the scale of 1 part starch and 3 parts cold water. Dry with a hair dryer. Repeat the procedure if necessary.

Fertigstellung

Den Hut mit Moravia Dekorationsstärcke (1 Teil Stärcke, 3 Teile kaltes Wasser) tüpfen. Den Hut mit einem Föhn trocknen. Man kann ihn eventuell mehrere Mahle Stärcken.

Nr. 28: Bogmærke - Kors

Materialer: 1 orkisskytte + hjælpetråd
Garn: DMC Cordonnet Spécial nr. 50
Mål: højde 9,5 cm

Før korset orkeres sættes en clips i spiralsnoren til senere sammenføjning.

No 28: Bookmark - Cross

Materials: 1 shuttle + ball thread
Thread: DMC Cordon. Spécial no. 50
Size: Height 9.5 cm

Start by placing a paper clip in the spiral cord before the cross is tatted.

Nr. 28: Lesezeichen - Kreuz

Material: 1 Schiffchen + Hilfsfaden
Garn: DMC Cordon. Spécial nr. 50
Maß: Höhe 9,5 cm

Bevor das Kreuz occhiert wird, eine Klammer in die Spiralschnur einsetzen für späteres Zusammenfügen.

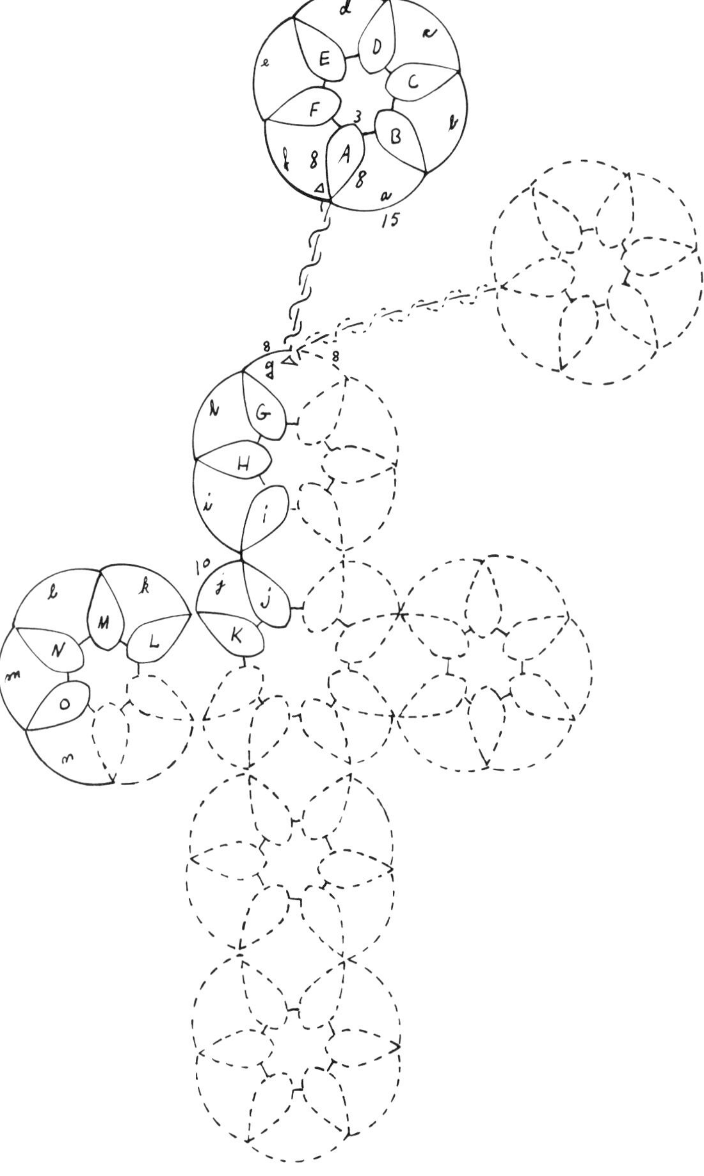

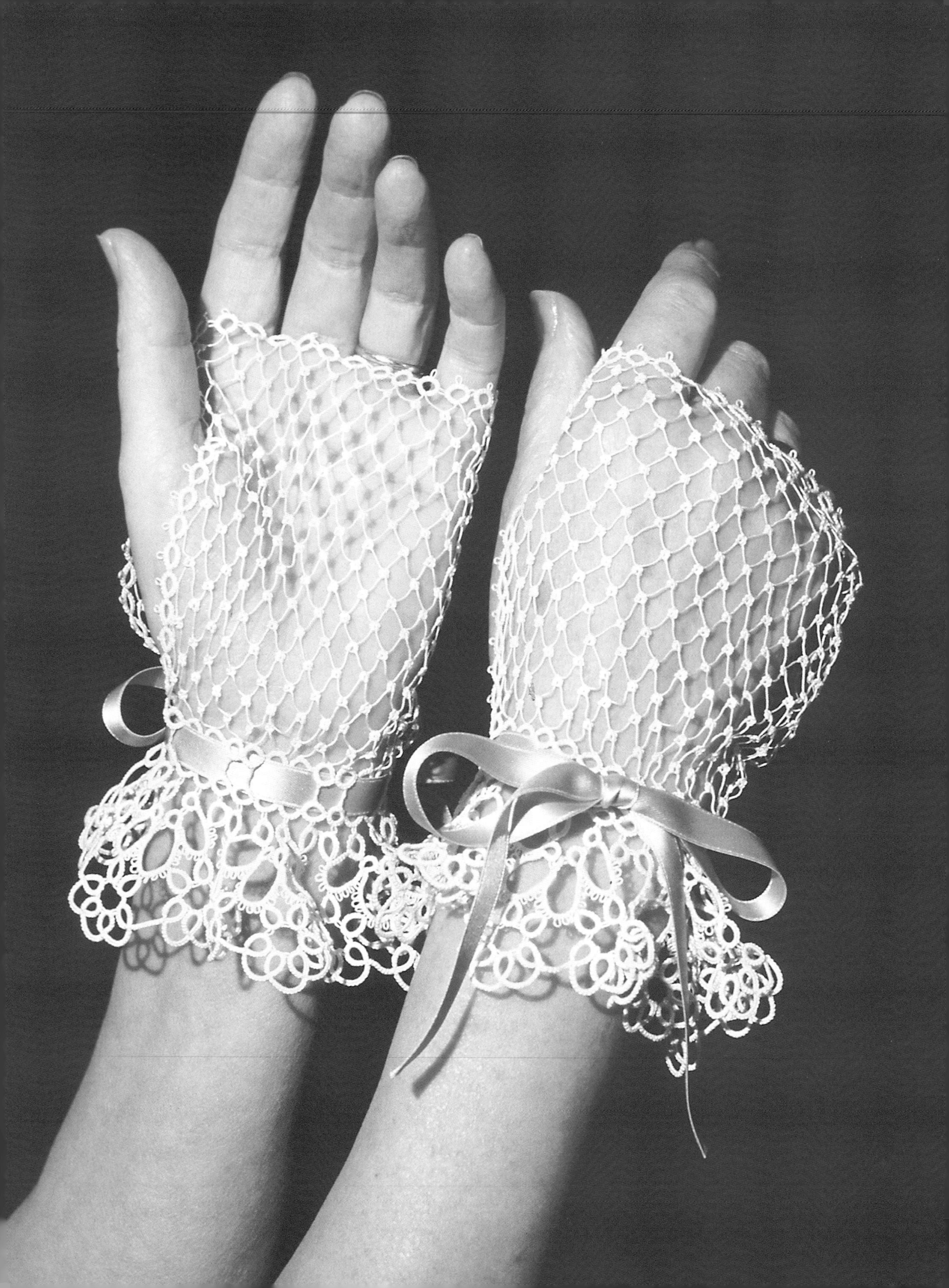

Nr. 29: Handsker

Materialer: 2 orkisskytter, silkebånd
Garn: DMC Cordonnet Spécial nr. 50

Der orkeres 2 ens venstrehåndshandsker. Vend vrangen ud på den ene handske for at få handsken til højre hånd.
Begynd at orkere ved fingrene. Orker ringene rundt om hånden efter arbejdstegning 1; begynd ved ring A, i alt 26 ringe. Trådene mellem ringene er udmålt over en skabelon på 12 mm. De lange picot'er mellem fingrene er orkeret over en skabelon på 40 mm (= 20 mm lang picot) og snoet ca. 4 gange. Tråden fra ring Z føjes til ring A og føres tilbage i den fremkomne bue som vist på arbejdstegning 2.
Fortsæt med at orkere net, idet den lille ring på arbejdstegning 3 føjes til hver enkelttrådsbue, udmålt over skabelonen på 12 mm. Omgang 1-4 afsluttes med den lille ring på arbejdstegning 4.
Orker 4 omgange i net; gør plads til tommelfingeren ved at undlade en ring og orker omgangene 5-15 frem og tilbage.
Når nettet er færdigt fortsættes med omgang 16, der orkeres med splitringe. Undlade at bryde tråden.
Begynd med ring A og placer picot'er orkeret over skabelonen på 12 mm. Husk at forsætte omgangen rundt om tommelfingeren hvor der orkeres 23 splitringe. Ringene omkring tommelfingeren består af 4 × 4 dobbeltknuder hvor ikke andet er anført.
Orker omgang 17 efter mønstertegningen, bemærk splitringene. De lange picot'er fra omgang 16 er snoet 1 omgang.
Blondens 6 halve blomster er orkeret enkeltvis og føjet til omgang 17, begynd med at føje til ring C.
Blondens yderkant startes med ring A som føjes til ring A i omgang 17.

No 29: Mittens

Materials: 2 shuttles, silk ribbon
Thread: DMC Cordon. Spécial no 50

Work two identical gloves for right hand. Turn the wrong side out to get a glove for left hand.
Start to tat at the fingers. Tat the ring around the hand according to diagram 1; start with ring A, a total of 26 rings. The long picots between the fingers are measured with a 40 mm template (=20 mm long picot) and twisted app. 4 times. The thread from ring Z is joined to ring A and pulled back through the loop as shown on diagram 2.
Continue with the net. The little ring on diagram 3 is joined to each single thread. The thread between the ring is measured with a 12 mm template. Round 1-4 is finished with the little ring shown on diagram 4.
Tat 4 rounds in the net; make room for the thumb by leaving out a ring and tat round 5-15 backwards and forwards. Continue with round 16 when the net is completed into split rings without breaking the thread.
Start with ring A and make picots by use of the 12 mm template. Remember to continue the round around the thumb making 23 split rings. The rings around the thumb are made of 4 × 4 double stitches where nothing else is noted.
Tat round 17 according to the diagram, note the split rings. The long picots on round 16 are twisted once.
The 6 half flowers in the lace are worked separately and joined to round 17. Start by joining to ring C.
The edge of the lace is started with ring A and joined to ring A in round 17.

Nr. 29: Handschuhe

Material: 2 Schiffchen, Seidenband
Garn: DMC Cordon. Spécial nr. 50

2 gleiche linke Handschuhe occhieren. Den einen Handschuh umkehren, sodas er für die rechte Hand paßt.
Das occhieren bei den Fingern anfangen. Die Ringe um die hand herum nach Muster 1 occhieren; bei Ring A anfangen, insgesamt 26 Ringe. Die Fäden zwischen den Ringen sind nach der Schablone von 12 mm gemessen. Die langen Ösen zwischen den Fingern sind nach der Schablone von 40 mm (= 20 mm lange Öse) occhiert - und 4 Mal gezwirbelt. Der Faden von Ring Z wird zu Ring A geführt und zurück geführt in den entstandenen Bogen wie auf Muster 2.
Mit dem Occhieren von Netz fortsetzen, indem der kleine Ring von dem Muster 3 jedem einzelnen Einfadenbogen zugeführt wird, ausgemessen nach der 12 mm Schablone. Die Runde 1-4 mit dem kleinen Ring nach Muster 4 abschliesen.
4 Runden Netz occhieren, Platz machen für den Daumen indem man einen Ring unterläßt, und die Runden 5-15 hin und zurück occhieren. Wenn das Netz fertig ist, mit Runde 6 fortfahren, man occhiert mit gespaltenen Ringen mit 2 Schiffchen.
Mit Ring A anfangen, die Ösen über Schablone von 12 mm occhiert, plazieren. Die Fortsetzung von der Runde um den Daumen beachten, indem man mit 23 Splitringen occhiert. Die Ringe um den Daumen bestehen aus 4 × 4 Doppelknoten, wo nichts anderes gezeigt ist.
Die Runde 17 nach dem Muster occhieren, Splitringe beachten. Die langen Ösen von Runde 16 sind 1 mal gezwirbelt.
Die 6 halben Blumen der Spitze sind einzelnt occhiert und der Runde 17 beigefügt. Mit Ring C anfangen.
Die äußere Kante der Spitze mit Ring A beginnen, der in der 17. Runde Ring A zugefügt.

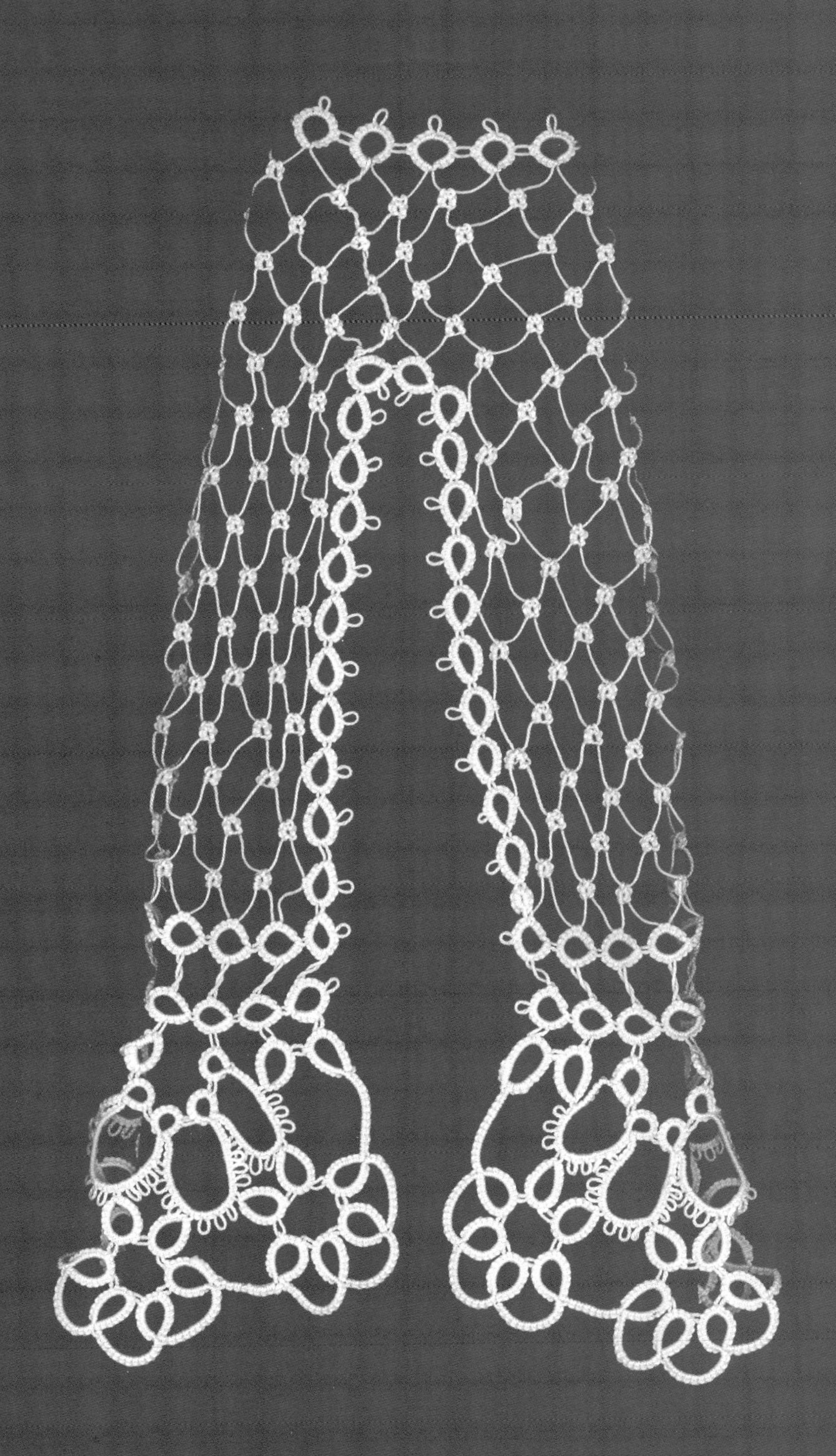

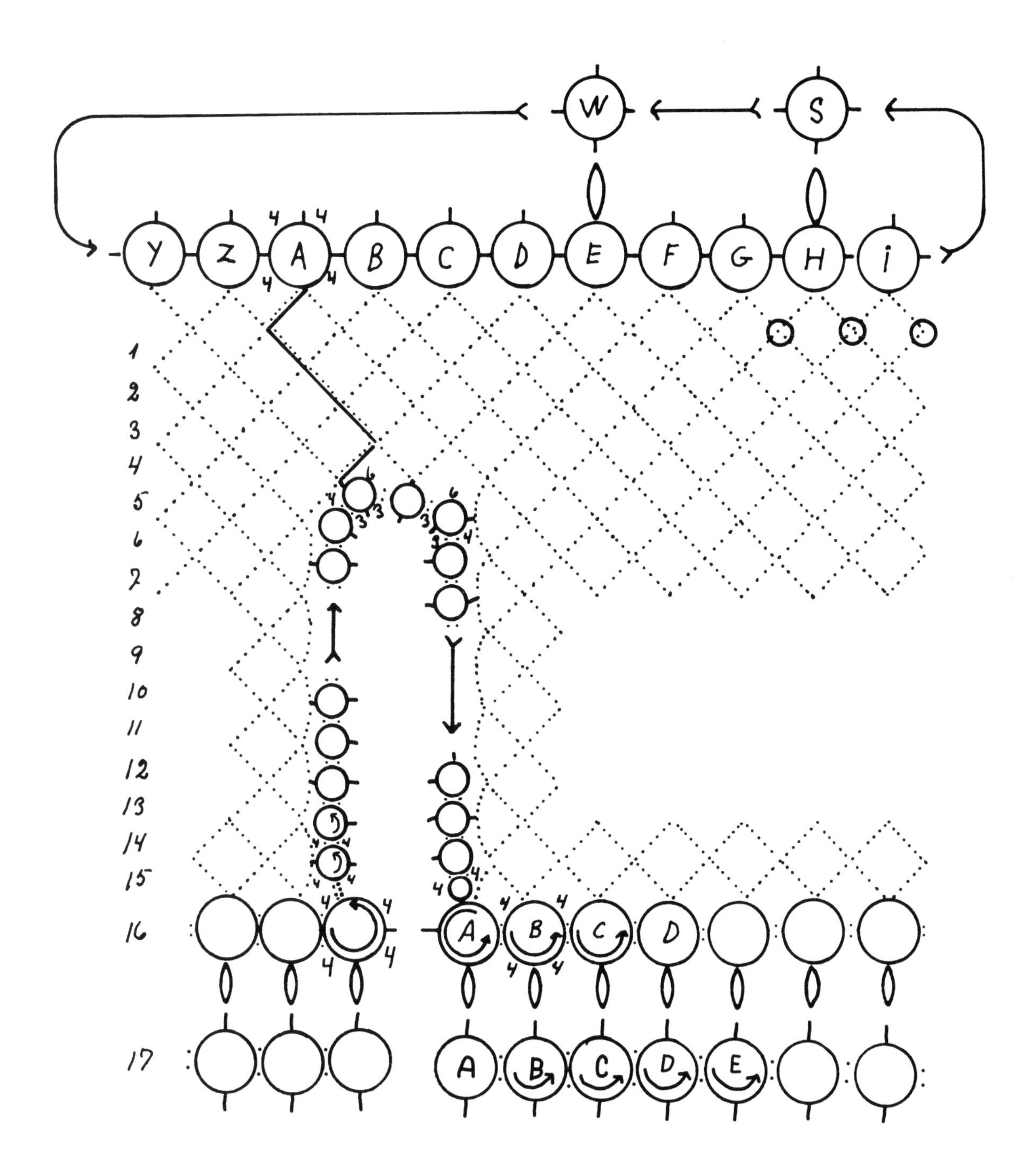
W
S
Y
Z
A
B
C
D
E
F
G
H
i
1
2
3
4
5
6
7
8
9
10
11
12
13
14
15
16
17
A
B
C
D
A
B
C
D
E

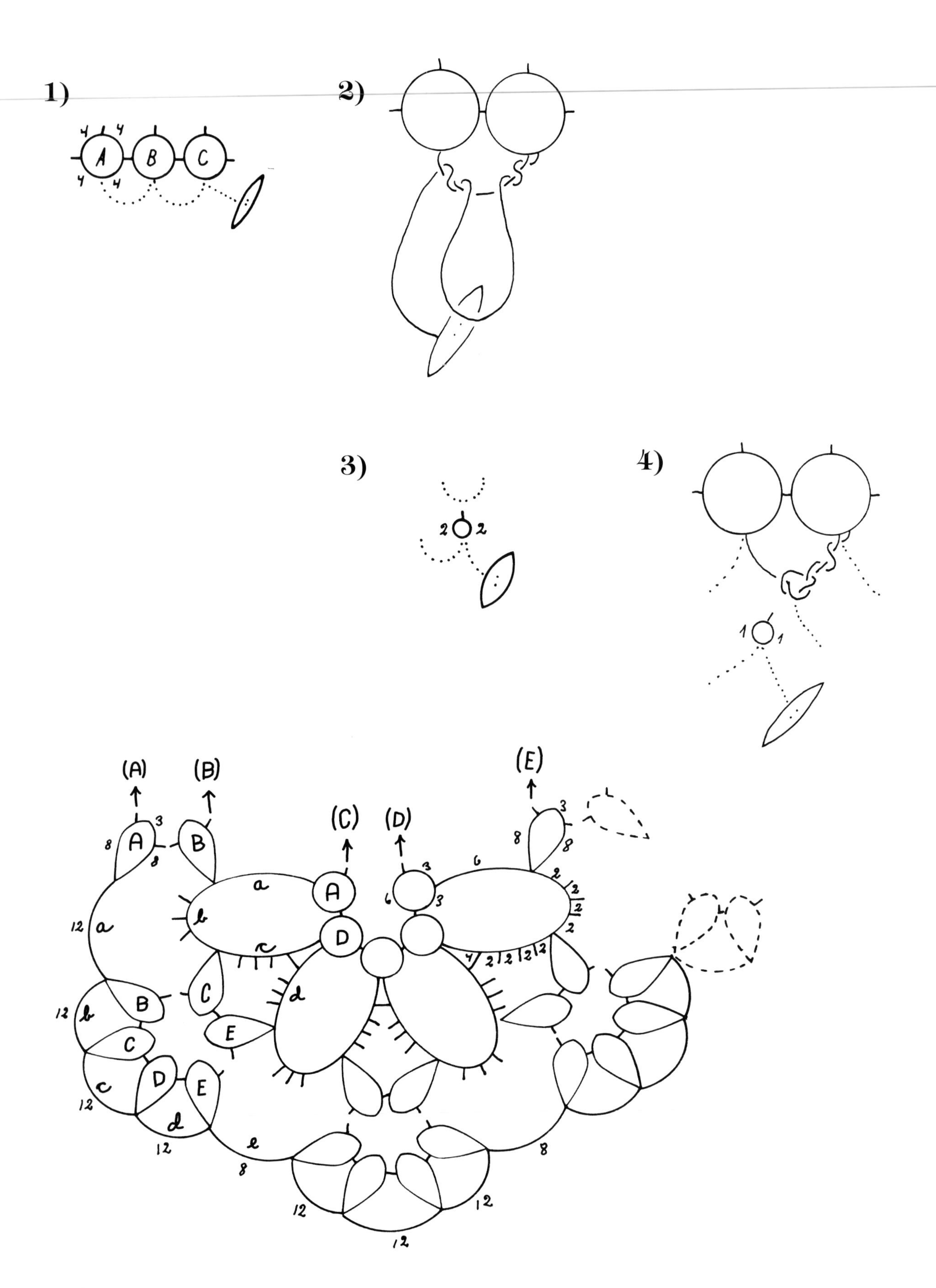
1)
2)
3)
4)
(A)
(B)
(C)
(D)
(E)

Nr. 30: Servietring med flæse

Materialer: 2 orkisskytter, silkebånd
Garn: DMC Cebelia nr. 30
Mål: Bredde 4,5 cm

Orker først ring A og forsæt med splitringe til i alt 10 ringe der føjes sammen til en ring.
Orker derefter flæser på begge sider af 7 af ringene. Start med buen a.
Montering: Træk et bånd gennem splitringene.

No 30: Napkin ring with ruffle

Materials: 2 shuttles, silk ribbon
Thread: DMC Cebelia no 30
Size: width 4.5 cm

First work ring A and continue by making split rings for a total of 10 rings and join them to form a circle.
Next tat the ruffle on both sides of 7 of the rings. Start with chain a.
Mounting: Pull a ribbon through the split rings.

Nr. 30: Serviettenring mit Rüsche

Material: 2 Schiffchen, Seidenband
Garn: DMC Cebelia nr. 30
Maß: Breite 4,5 cm

Zuerst den Ring A occhieren und mit Splitringen fortsetzen bis insgesamt 10 Ringe, die sie zu einem Ring zusammenfügen.
Danach Rüsche auf beidem Seiten der 7 Ringe occhieren.
Fertigstellung: Ein Band durch die Splitringe ziehen.

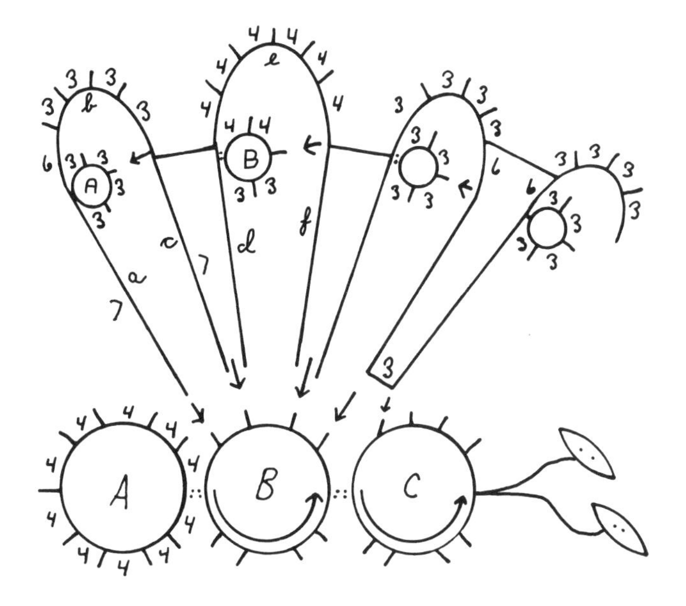

Nr. 31: Blonde

Materialer: 2 orkisskytter
Garn: DMC Cordonnet Spécial nr. 40
Mål: bredde 6,5 cm

Blomsterne i midten orkeres først. Midten består af buen a. Start med isætning af clips og orker to dobbeltknuder før ring A orkeres med skytte 2. Slut med en dobbeltknude og luk buen til en ring.
Motiverne samles derefter med omgangen af buer. Husk at bytte skytterne ved ~.
Afslut med yderste omgang.

No 31: Lace

Materials: 2 shuttles
Thread: DMC Cordon. Spécial no 40
Size: width 6.5 cm

First tat the flowers in the middle. The centre is made of chain a. Start by placing a paper clip and tat two double stitches before ring A is tatted with shuttle 2. Finish with a double stitch and close the chain with a ring.
The motifs are joined by the row of chains. Remember to exchange shuttles by the ~.
Finish with the last round.

Nr. 31: Spitze

Material: 2 Schiffchen
Garn: DMC Cordon. Spécial nr. 40
Maß: Breite 6,5 cm

Zuerst die Blumen in der Mitte occhieren. Die Mitte besteht aus dem Bogen a. Mit dem Einsetzen von Klammern anfangen und 2 Doppelknoten occhieren, bevor Ring A mit Schiffchen 2 occhiert wird. Mit einem Doppelknoten abschließen und den Bogen wie einem Ring schließen. Die Teile werden danach mit den Runden von Bögen gesammelt. Die Schiffchen bei ~ umtauschen.
Mit der äußeren Runde abschliessen.

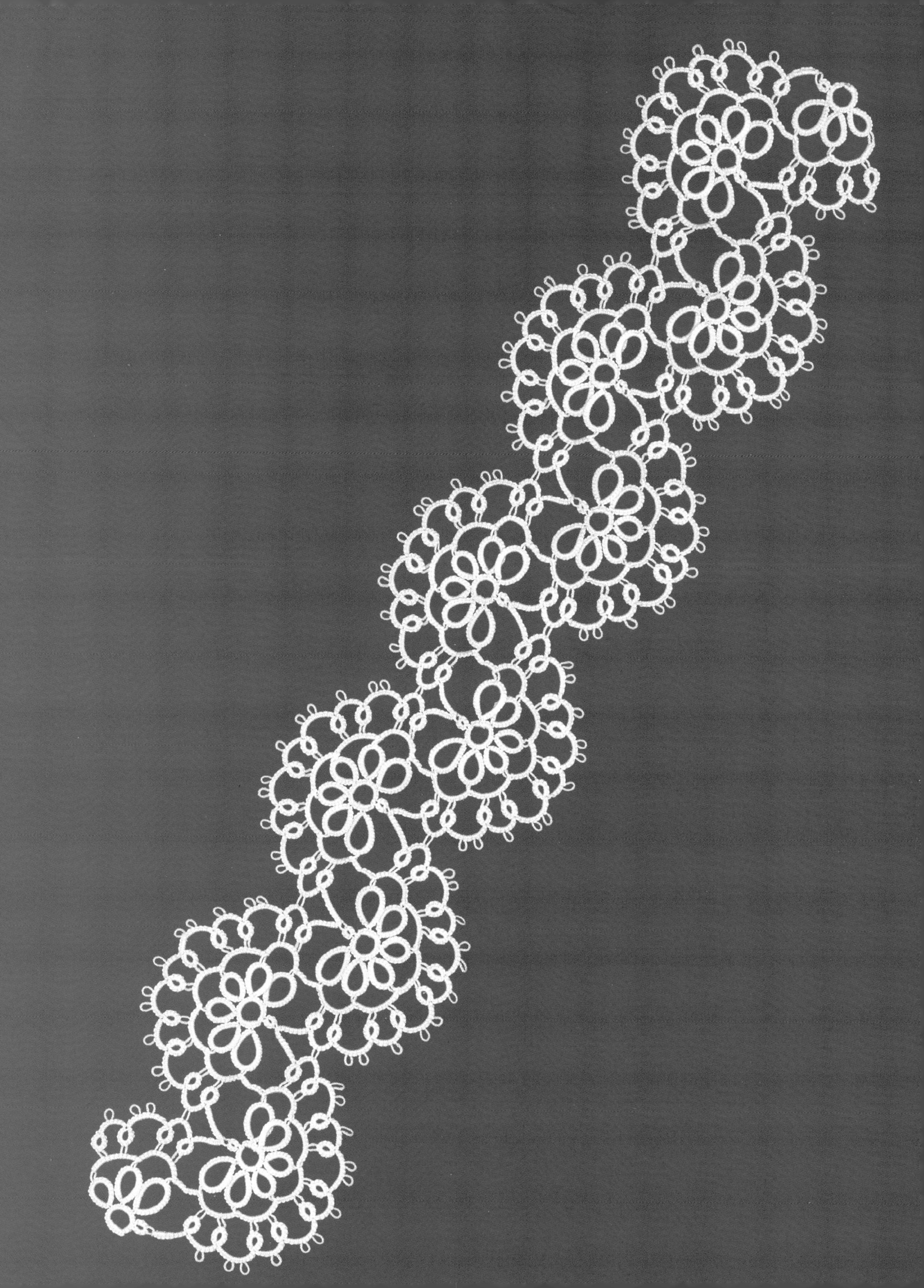

Nr. 32: Engel

Materialer: 2 orkisskytter, 5 guldperler 5 mm, 20 cm bomuldstyl, silkebånd

Garn: DMC Cordonnet Spécial nr. 40 Blonden på kjolen: DMC Cordon. Spécial nr. 100

Mål: højde 17 cm

Start med at orkere englens hoved og derefter glorien. Husk at trække perlerne på hjælptråden (skytte 2).

Den lille mønstertegning er „grundmodellen" til kjolen og vingerne og antallet af dobbeltknuder anvendes hvor ikke andet er anført.

Orker først kjolen. Bemærk at pilene i kjolens hjørne viser at ring U føjes til ring S før buen s orkeres og føjes til ring R.

Vingerne orkeres hver for sig, begynd ved ring A. Dobbeltpilene angiver hvor vingerne føjes til kjole og hoved.

Til sidst orkeres blonden der føjes til kjole og vinger. Bemærk at ringene H', I', J' og O' er orkeret med skytte 2.

Montering: Engel og tyl vaskes hver for sig. Englen sys på tyllet som vist på billederne. Klip et stykke karton i kjolens facon og saml det til en kegle. Dup englen med Moravia Dekorationstivelse i forholdet 1 del stivelse til 3 dele koldt vand. Form kjolen over keglen og tør englen med en hårtørrer. Kan evt. stives flere gange.

Træk et silkebånd i kjolens A-ringe og bind en sløjfe.

No 32: Angel

Materials: 2 shuttles, 5 gold beads 5 mm, 20 cm cotton tulle, silk ribbon

Thread: DMC Cordon. Spécial no 40 Lace on skirt: DMC Cordon. Spécial no 100

Size: height 17 cm

First work the angel's head and the halo. Remember to thread the beads on the ball thread (shuttle 2).

The little diagram is the "basic model" to the skirt and the wings. The figures on the "basic model" are used if there aren't any other figures on the diagram.

First work the skirt. Note that the arrows in the corner of the skirt show that ring U is joined to ring S before the chain s are tatted and joined to ring R.

The wings are tatted separately. Start with ring A. The double arrows mark where the wings are joined to the skirt and the head.

Finally tat the lace which is joined to the skirt and the wings. Note that the rings H', I', J' and O' are tatted with shuttle 2.

Mounting: Wash the angel and the tulle separately. Sew the angel to the tulle as shown on the photos. Cut a piece of card in the same shape as the skirt and make it into a cone. Dab the angel with Moravia Decoration Starch in the scale of 1 part starch to 3 parts cold water. Form the angel over the cone and dry the angel with a hair drier. Repeat the process if necessary.

Pull a silk ribbon into the A rings on the skirt and tie a bow.

Nr. 32: Engel

Material: 2 Schiffchen, 5 goldperlen 5 mm, 20 cm Tüll aus Baumwolle, Seidenband

Garn: DMC Cordon. Spécial nr. 40 Die Spitze am Kleid: DMC Cordon. Spécial nr. 100

Maß: Höhe 17 cm

Mit dem Occhieren des Kopfes beginnen, danach die Glorie. Das Aufziehen der Perlen auf den Hilfsfaden beachten (= Schiffchen 2). Das kleine Muster ist das „Grund Model" für das Kleid und die Flügel. Verwendet werden die Anzahl der Doppelknoten, wenn nichts Anderes erwähnt ist.

Zuerst das Kleid occhieren. Beachten, daß die Pfeile in der Ecke des Kleides zeigen, daß Ring U und Ring S zusammengefügt werden bevor der Bogen s occhiert ist und Ring R zugefügt wird.

Die Flügel werden jeder für sich occhiert, bei Ring A anfangen. Die Doppelten Pfeile zeigen, wo die Flügel an Kleid und Kopf angebracht werden.

Zuletzt occhiert man die Spitze die an Kleid und Flügeln befestigt wird. Beachten daß die Ringe H', I', J' und O' mit Schiffchen 2 occhiert sind.

Fertigstellung: Der Engel und der Tüllstof werden jeder für sich gewaschen. Der Engel wird auf den Tüll genäht, siehe Bild. Man schneidet ein Stück Karton in der Form des Kleides und sammelt es zu einem Kegel. Den Engel in Moravia Dekorationsstärcke tauchen (1 Teil stärcke, 3 Teile kaltes Wasser). Das Kleid über den Kegel formen und den Engel mit einem Föhn trocknen. Das Stärcken kann mehrmals wiederholt werden.

Ein Seidenband in die A Ringe des Kleides ziehen und eine Schleife binden.

A a B
C b c D
E d
A B C D E
20 15 15 15 15 15 20
A a C b B c
Q P S R T U V
A B C D E F G H' H i' i j' j K L M N O' O

Nr. 33: Blonde

Materialer: 2 orkisskytter
Garn: DMC Cordonnet Spécial nr. 50
Mål: bredde ca. 2,5 cm

Venstre side af blonden orkeres først. Når den ønskede længde er nået forsættes rundt om sidste ring og højre side orkeres.

No. 33: Lace

Materials: 2 shuttles
Thread: DMC Cordon. Spécial no 50
Size: width app. 2.5 cm

Left side of the lace is tatted first. When the desired length is reached tat round the last ring and work down the right side.

Nr. 33: Spitze

Material: 2 Schiffchen
Garn: DMC Cordon. Spécial nr. 50
Maß: Breite ca. 2,5 cm

Die linke Seite der Spitze zuerst occhieren. Wenn die erwünschte Länge erreicht ist, rund um den letzten Ring fortsetzen und die rechte Seite occhieren.

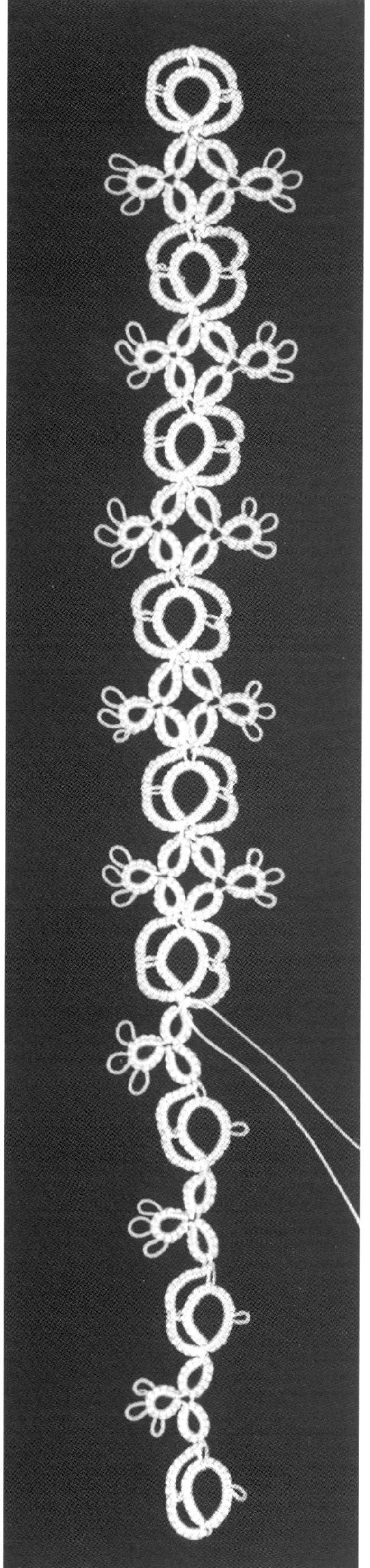

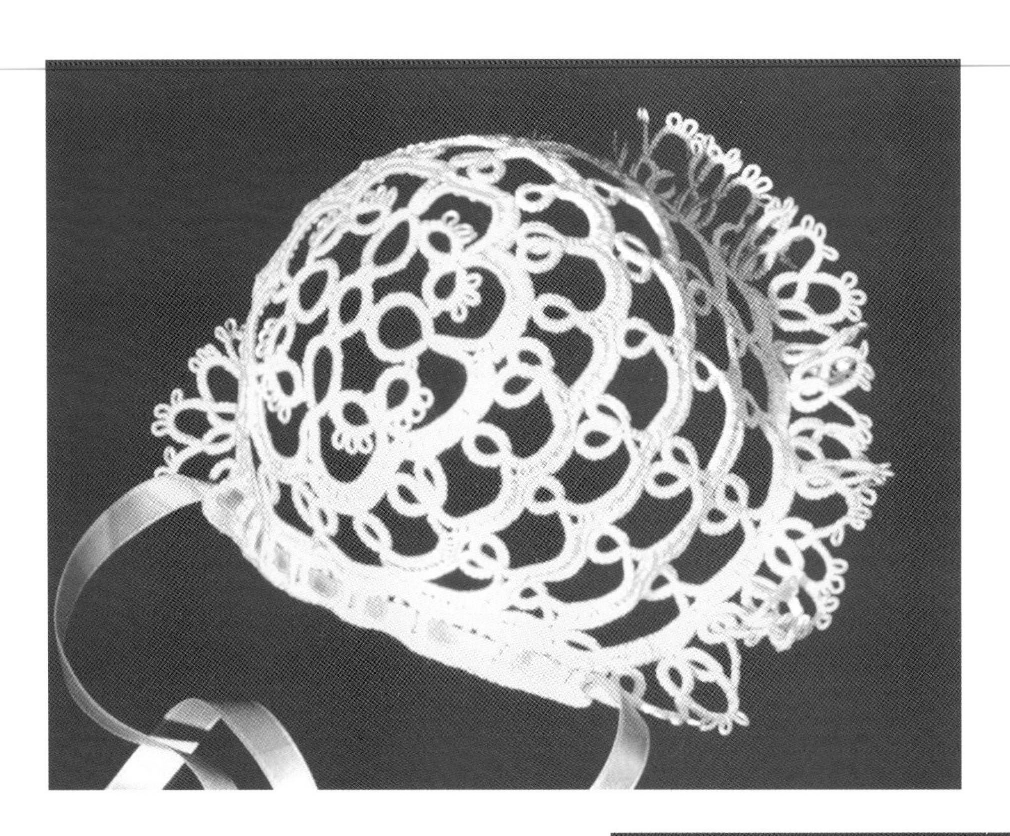

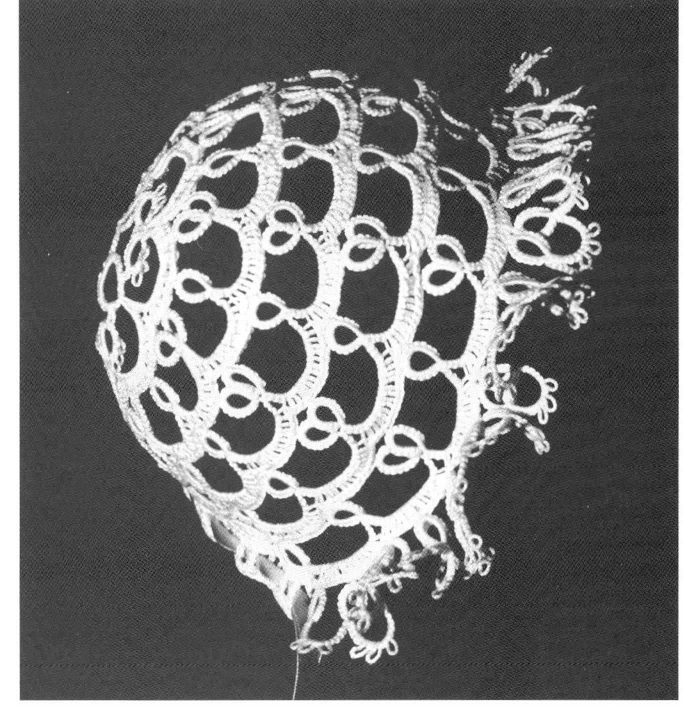

Nr. 34: Dåbshue

Materialer: 2 orkisskytter, hæklenål 1 mm, silkebånd
Garn: DMC Cebelia nr. 10

Huen er orkeret med ret- og vrangside. Orker først midtermotivet i 2 omgange. Bemærk at buen a består af 8 dobbeltknuder derefter 20 picot'er med 1 dobbeltknude mellem hver picot og til sidst 4 dobbeltknuder.
Når motivet er færdigt samles alle picot'er med hæklede kædemasker.
Forsæt orkeringen efter mønstertegningen og hækl en række kædemasker mellem hver omgang.

Kanten forneden er hæklet.
1. række: fastmasker.
2. række: 1 luftmaske og derefter en dobbelt stangmaske i hver anden fastmaske.
3. række: fastmasker.

No 34: Christenings cap

Materials: 2 shuttles, 1 mm crochet hook, silk ribbon
Thread: DMC Cebelia no 10

The cap is worked with right and wrong sides. Tat first the centre motif in 2 rounds. Note that the chain a is made of 8 double stitches, with 20 picots with 1 double stitch between each and finished with 4 double stitches.
When the motif is finished all the picots are assembled with a crochet chain.
Continue to tat according to the diagram and work a crochet chain between each round.

The edge at the neck is crochet.
1st round: double crochet.
2nd round: a double treble crochet and next a double chain in the second chain.
3rd round: double crochet.

Nr. 34: Tauf-Haube

Material: 2 Schiffchen, 1 mm Häkelnadel, Seidenband
Garn: DMC Cebelia nr. 10

Die Haube ist mit Linke- und Rechteseite occhiert.
Zuerst den mittleren Teil in zwei Runden occhieren. Bemerken, das der Bogen a aus 8 Doppelknoten, hiernach 20 Ösen mit 1 Doppelknoten zwischen jeder Öse und zuletzt 4 Doppelknoten, besteht.
Wenn das Muster fertig ist, alle Ösen mit gehäkelten Kettenmaschen sammeln. Nach dem Muster weiter occhieren und eine Reihe von Kettenmaschen zwischen jeder Runde häkeln.

Die Kante unten ist gehäkelt:
1. Reihe: Festmaschen
2. Reihe: 1 Luftmasche und danach 1 doppeltes Stäbchen Maschen in jeder zweiten Festmaschen.
3. Reide: Festmaschen.

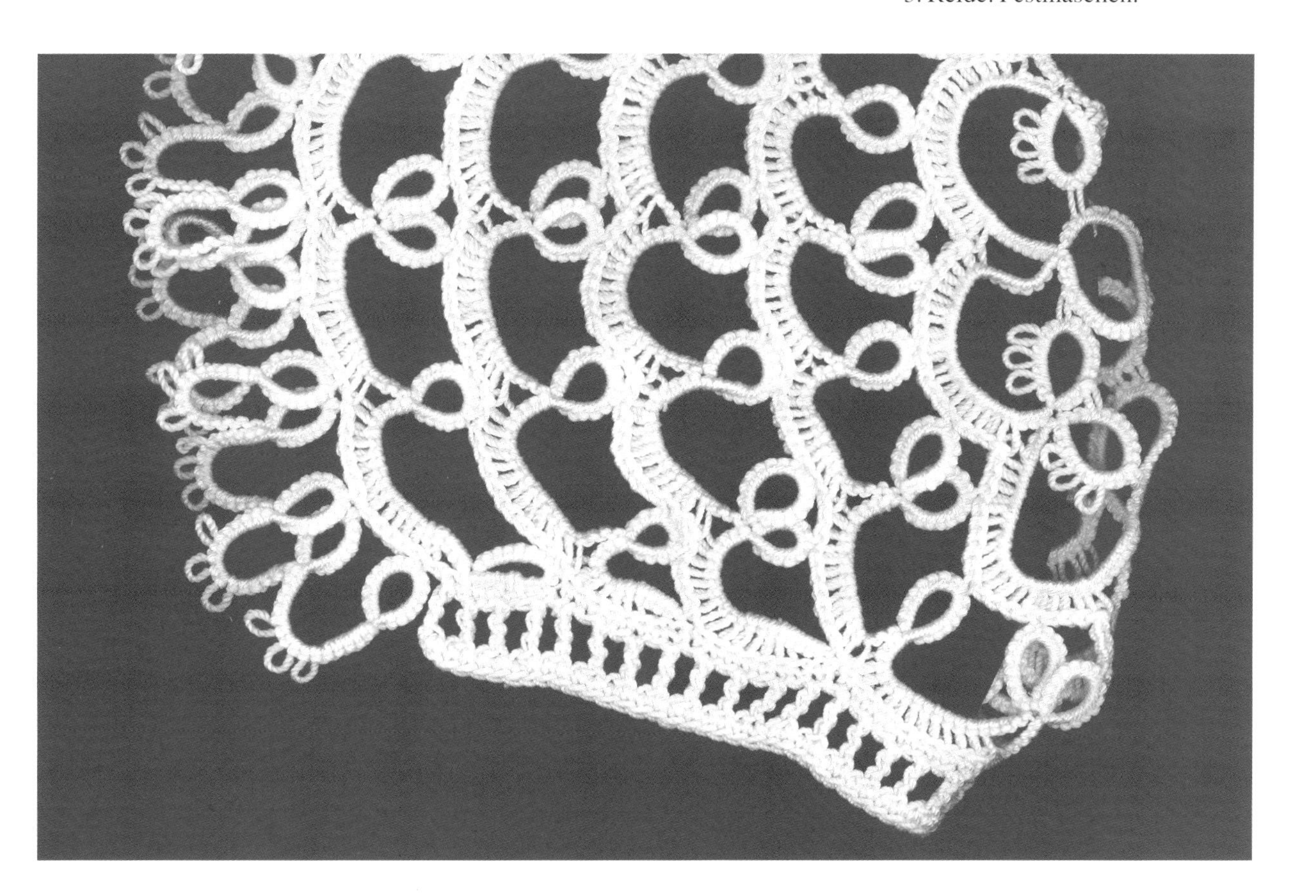

Nr. 35: Blonde

Materialer: 1 orkisskytte + hjælpetråd
Garn: DMC Blondegarn nr. 80 farve 798, blå
Mål: bredde ca. 1 cm

Orkeres efter mønstertegningen.

No 35: Lace

Materials: 1 shuttle + ball thread
Thread: DMC Spécial Dentelles no 80 colour 798, blue
Size: width app. 1 cm

Tat according to the diagram.

Nr. 35: Spitze

Material: 1 Schiffchen + Hilfsfaden
Garn: DMC Spécial Dentelles nr. 80 Farbe 798, blau
Maß: Breite ca. 1 cm

Nach dem Muster occhieren.

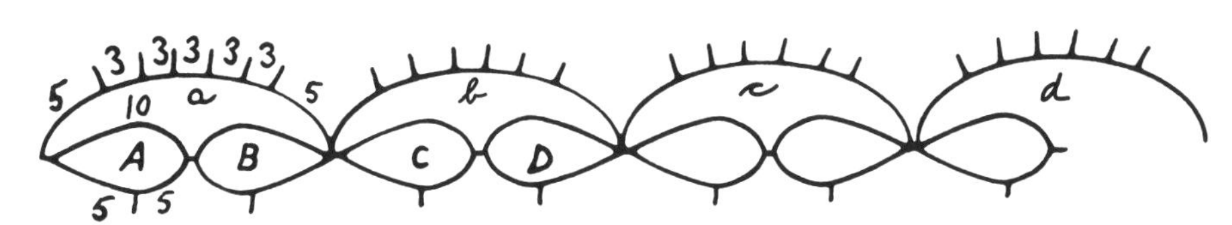

Nr. 36: Firkantet flakon

Materialer: 2 orkisskytter
Garn: DMC Cordonnet Spécial nr. 50
Mål: ca. 11 × 11 cm

Orker først midterstykket der består af 6 × 6 splitringe.
Blonden startes med en firkant. Sæt en clips i og orker firkanten der består af 5 rækker med hver 5 dobbeltknuder.
Hjørnemotiverne orkeres til sidst. Start med buen a og slut med buen g som føjes til firkantens hjørne.
Ønskes flakonen større orkeres midterstykket f.eks. med 9 × 9 splitringe.

No 36: Square doily

Materials: 2 shuttles
Thread: DMC Cordon. Spécial no 50
Size: app. 11 × 11 cm

First work the centre piece made of 6 × 6 split rings.
The lace begins with a square. Use a paper clip and tat the square. It is made of 5 rows and 5 double stitches in each square.
Finish with the corner motif. Start with chain a and end with chain g which is joined to the corner of the square.
If you want a bigger doily then tat a bigger centre motif with for example 9 × 9 split rings.

Nr. 36: Viereckige Deckchen

Material: 2 Schiffchen
Garn: DMC Cordon. Spécial nr. 50
Maß: ca. 11 × 11 cm

Den mittleren Teil, der aus 6 × 6 Splitringen besteht, zuerst occhieren.
Die Spitze mit einem Viereck anfangen. Klammer einsetzen und den Viereck occhieren, der aus 5 Reihen mit je 5 Doppelknoten besteht.
Das Eckmuster zum Schluß occhieren. Mit Bogen a anfangen und mit dem Bogen g der zur Ecke des Vierecks gefügt wird, abschliessen.
Wünscht man einen größeren Flakon, wird der mittlere Teil z.B. mit 9 × 9 Splitringen occhiert.

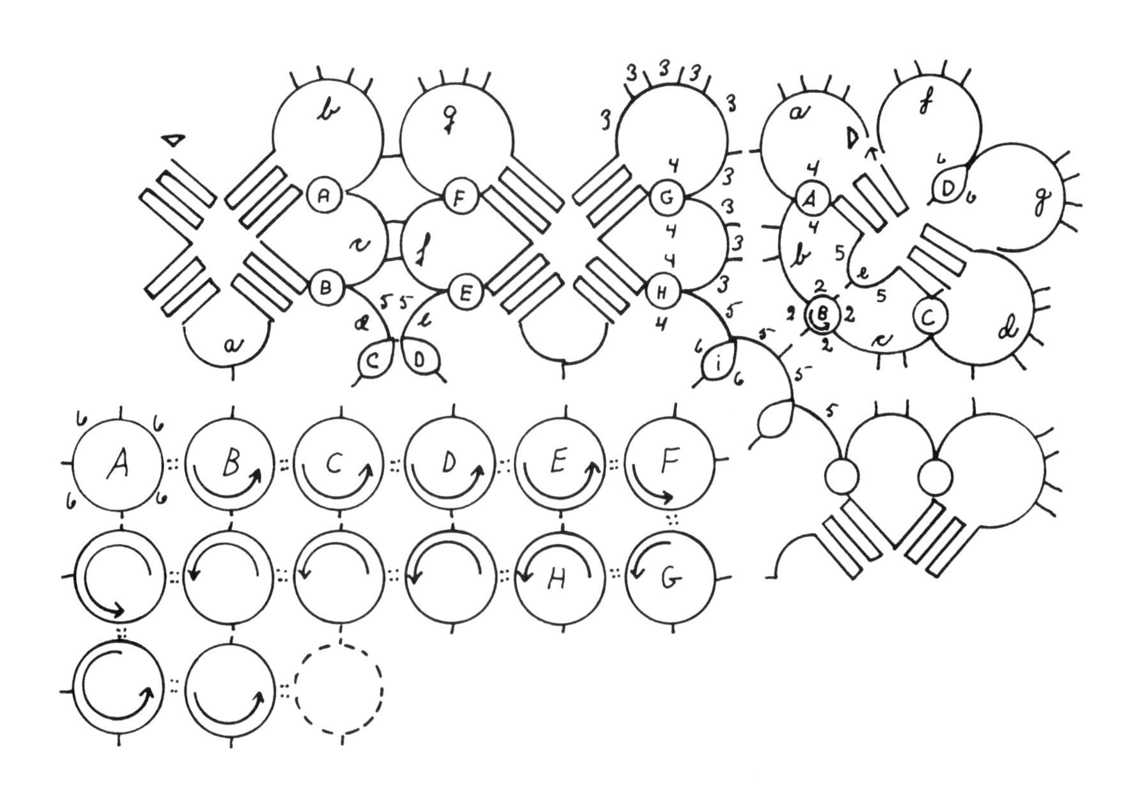

Nr. 37: Tylskrave

Materialer: 2 orkisskytter, bomuldstyl, 15 perler 5 mm

Garn: Blomster:
DMC Cordonnet Spécial nr. 50
Kant:
DMC Cordonnet Spécial nr. 60
Broderi:
DMC Cebelia nr. 10

Mål: Mønsteret er gengivet i fuld størrelse

Orker kanten efter mønstertegningen, bemærk splitringene.
Orker 15 blomster efter mønstertegningen.
Montering: Vask tyl og orkis hver for sig. Kopier kravemønsteret over på et stykke kraftigt papir. Ri tyllet fast på papiret og broder blomsterranken efter mønsteret med tætte risting. Sy blomsterne og perlerne på med sytråd. Undlad at hæfte blomsternes blade.
Sy kanten på rundt langs kraven med sytråd. Klip tyllet af langs kanten og kraven er færdig.

No 37: Tulles collar

Materials: 2 shuttles, cotton tulle, 15 beads 5 mm

Thread: Flowers:
DMC Cordonnet Spécial no 50
Edge:
DMC Cordonnet Spécial no 60
Embroidery:
DMC Cebelia no 10

Size: The pattern on page 90 is in full size

Tat the edge according to the diagram, note the split rings.
Tat 15 flowers according to the diagram.
Mounting: Wash the tulle and the tatting separately. Copy the pattern for the collar on to a piece of heavy paper. Sew the tulles onto the paper and embroider the garland with small tacking-stitches. Fasten the flowers and the beads with sewing thread. Do not fasten the edge of the petals.
Fasten the lace around the edge with sewing thread. Cut the tulle around the edge and the collar is finished.

Nr. 37: Kragen aus Tüll

Material: 2 Schiffchen, Tüll aus Baumwolle, 15 Perlen 5 mm

Garn: Blumen:
DMC Cordon. Spécial nr. 50
Kante:
DMC Cordon. Spécial nr. 60
Stickerei:
DMC Cebelia nr. 10

Maß: Das Muster ist in voller Größe wiedergegeben

Nach der Musterzeichnung die Kante occhieren, die Splitringe bemerken.
15 Blumen nach der Musterzeichnung occhieren.
Fertigstellung: Das Kragenmuster auf ein kräftiges Stück Papier kopieren. Den Tüll auf das Papier anreihen und die Blumenranken nach dem Muster mit dichten Heftstichen sticken. Die Blumen und Perlen mit Nähfaden anheften, jedoch die Blätter der Blumen nicht anheften.
Die Kante um den Kragen herum mit Nähfaden annähen. Den Tüll längs der Kante abschneiden und der Kragen ist fertig.

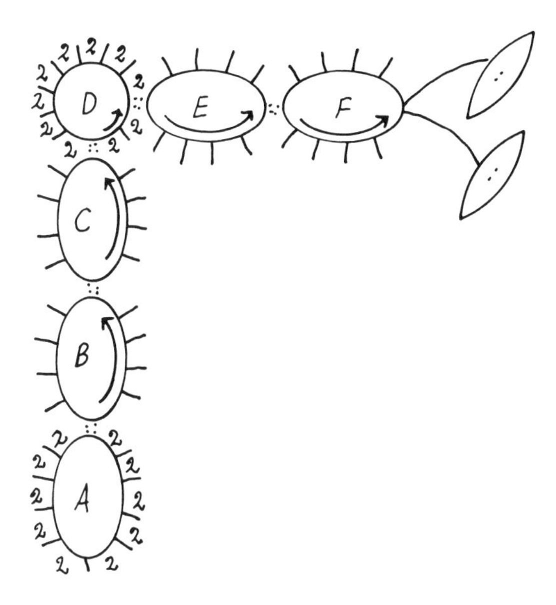

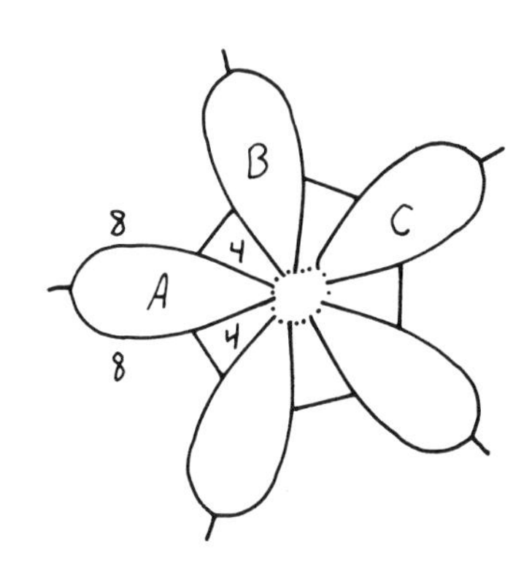

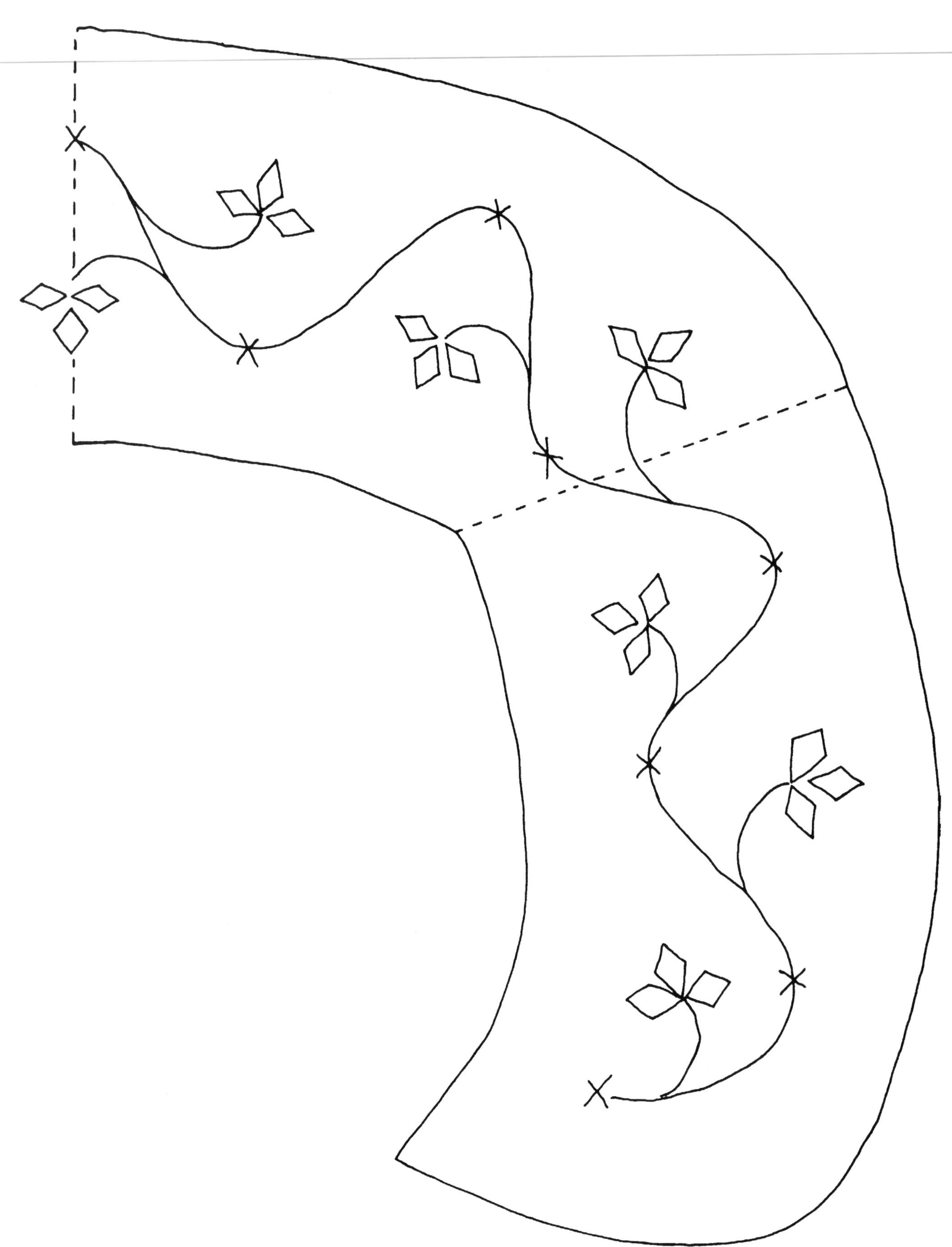

Nr. 38: Lille flakon

Materialer: 2 orkisskytter
Garn: DMC Cordonnet Spécial nr. 80
Mål: ca. 11 cm i diameter

Ringene i yderste omgang er orkeret med skytte 2.

No 38: Little doily

Materials: 2 shuttles
Thread: DMC Cordon. Spécial no 80
Size: diameter app. 11 cm

The rings in the last round are tatted with shuttle 2.

Nr. 38: Kleines Deckchen

Material: 2 Schiffchen
Garn: DMC Cordon. Spécial nr. 80
Maß: ca. 11 cm im Diameter

Die Ringe in der äußeren Runde sind mit Schiffchen 2 occhiert.

Nr. 39: Krans af trekanter

Materialer: 2 orkisskytter
Garn: DMC Cordonnet Spécial nr. 50
Mål: Kransens diameter er ca. 18 cm

Orkeres efter mønstertegningen i to omgange. Bemærk at ring A er en splitring. Ringene C‘, F‘, G, I, K og L‘ orkeres med skytte 2.

No 39: Garland with triangles

Materials: 2 shuttles
Thread: DMC Cordon. Spécial no 50
Size: The diameter of the garland is app. 18 cm

Tat according to the diagram in two rounds. Note that ring A is tatted as a split ring. The rings C’, F’, G, I, K and L’ are tatted with shuttle 2.

Nr. 39: Kranz aus Dreiecken

Material: 2 Schiffchen
Garn: DMC Cordon. Spécial nr. 50
Maß: Diameter vom Kranz ist ca. 18 cm

Nach dem Muster in zwei Runden occhieren. Bemerken, das Ring A ein Splitring ist. Die Ringe C‘, F‘, G, I, K und L‘ mit Schiffchen 2 occhieren.

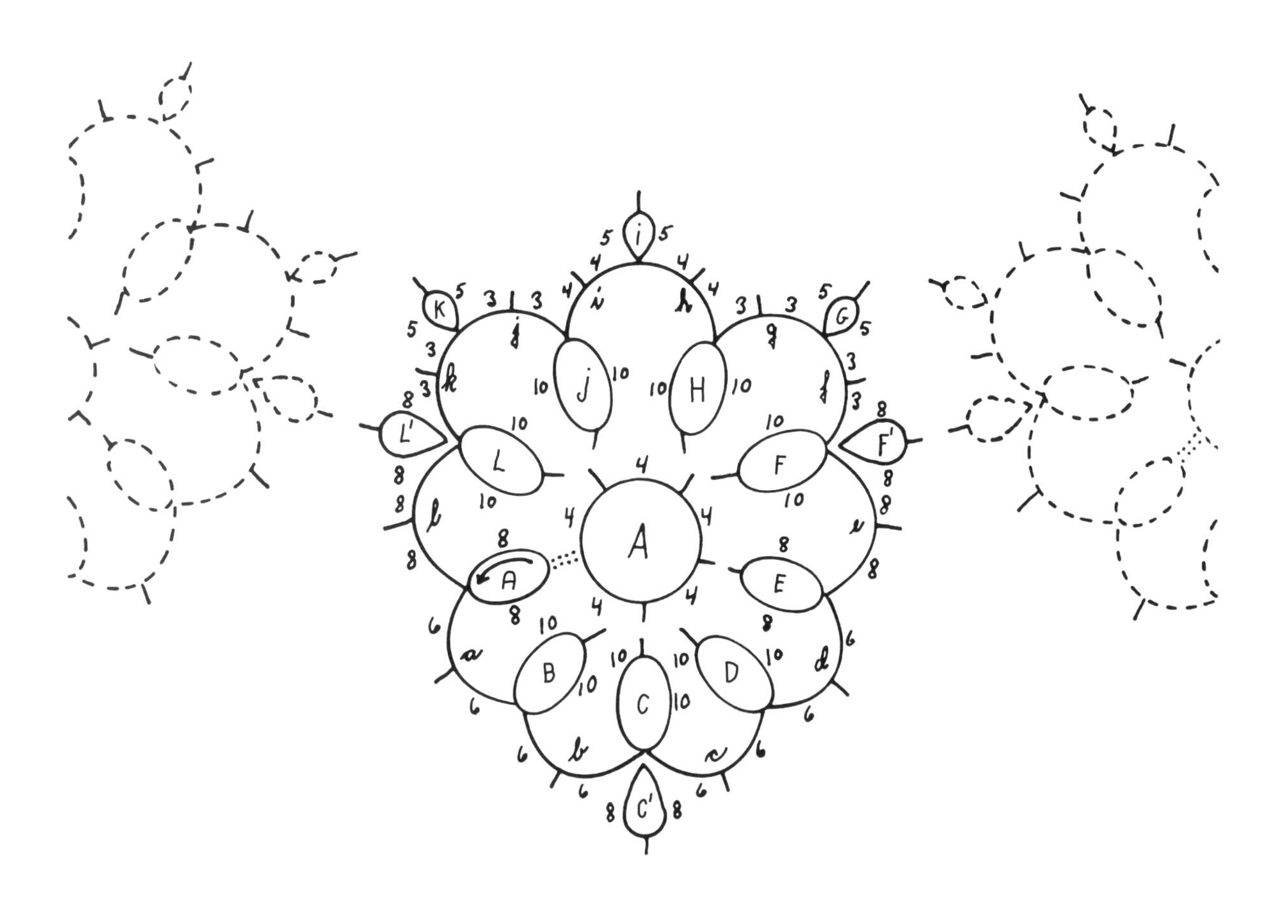

Nr. 40: Blonde og sommerfugl til færdigt lommetørklæde

Materialer: 2 orkisskytter, 1 lommetørklæde uden hjørne, bomuldstyl
Garn: Blonde: DMC Cordon. Spécial nr. 40
Sommerfugl, række af splitringe og række af buer: DMC Cordon. Spécial nr. 70

Sommerfugl: Vinger og hoved er buer samlet på sikkerhedsnål. Begynd med buen a som har 13 picot'er til pynt. Buen b har 20 picot'er til pynt. Følehornene er snoede picot'er. Bemærk at ring A er en splitring, idet dobbeltknuden under pilen er ringens højre side. Slut med ring B.
Lommetørklæde: Orker først buerne og derefter rækken af splitringe.
Blonde: Blomsternes blade er buer samlet på sikkerhedsnål. Begynd med buen a.
Montering: Vask tyl og orkis hver for sig. Buerne, rækken af splitringe og sommerfuglen sys på tyl.

No 40: Lace and butterfly for ready-made handkerchief

Materials: 2 shuttles, 1 handkerchief, cotton tulle
Thread: Lace: DMC Cordon. Spécial no 40
Butterfly, row of split rings, row of chains: DMC Cordon. Spécial no 70

Butterfly: The wings and head are chains collected on a safety pin. The antennae are twisted picots. Note that ring A is a split ring and the double stitches under the arrow are the left side of the ring. Finish with ring B.
Handkerchief: First work the chains and next the row of split rings.
Lace: The petals of the flowers are chains collected on a safety pin. Start with chain a.
Mounting: Wash the tulle and the tatting separately. Sew the chains, the row of split rings and the butterfly onto the tulle.

Nr. 40: Spitze und Schmetterling für fertiges Taschentuch

Material: 2 Schiffchen, 1 Taschentuch ohne Ecken, Tüll aus Baumwolle
Garn:
Spitze: DMC Cordon. Spécial nr. 40
Schmetterling, Reihe von Splitringen und Bögen: DMC Cordon. Spécial nr. 70

Schmetterling: Flügel und Kopf sind Bögen an einer Sicherheitsnadel gesammelt. Mit Bogen a, der 13 Ösen als Schmuck hat, anfangen. Der Bogen b hat 20 Ösen als Schmuck. Die Fühler sind gezwirbelte Ösen. Bemerken, daß Ring A ein Splitring ist, indem der Doppelknoten unter dem Pfeil die rechte Seite des Ringes ist. Abschliessen mit Ring B.
Taschentuch: Erst die Bögen occhieren und danach die Reihe von Splitringen. Spitze: Die Blumenblätter sind Bögen an einer Sicherheitsnadel gesammelt. Anfangern mit Bogen a.
Fertigstellung: Die Bögen, Reihen von Splitringen und der Schmetterling an den Tüll befestigen. Vorher Tüll und Schiffchenarbeit für sich waschen.

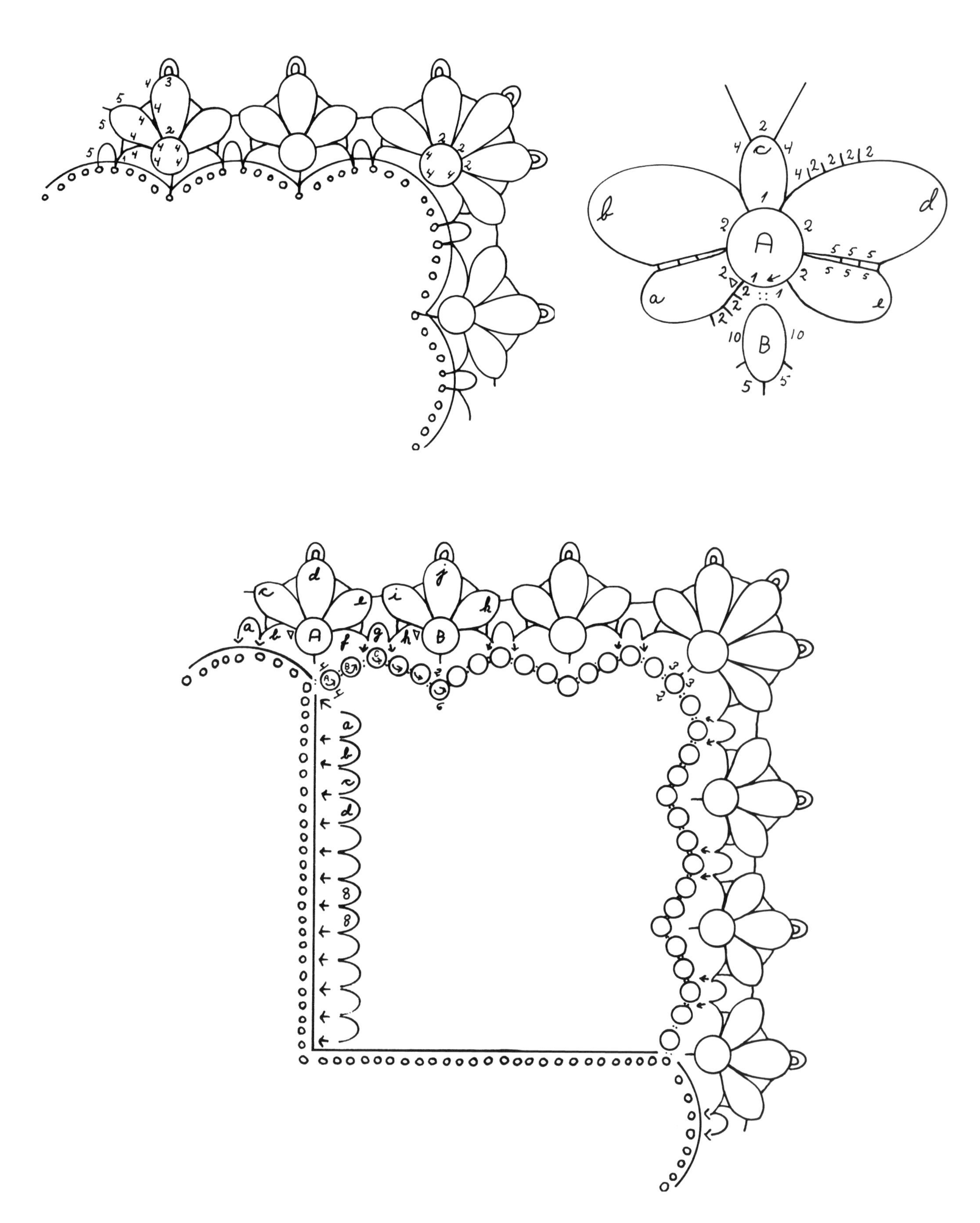
A
B
a
b
c
d
e
f
g
h
i
j
k

Forhandlerliste - Supplieres - Händlerliste

Bomuldstyl Cotton tulle Tüll aus Baumwolle	**Danske Folkedanseres Salgsafdeling** v/ Lisbeth Green Vedbæksalle 75 8700 Horsens Tlf: 75647564 Fax: 75647530
Lommetørklæder Handkerchief Taschentücher	**Kniplestuen** v/ Astrid Hansen Flindts Vænge 3 Postboks 235 4600 Køge Tlf & Fax: 53652682
Moravia stivelse Moravia Decoration Starch Moravia Dekorationsstärcke	**Moravia** Postboks 28 4652 Hårlev Tlf: 53686731 Fax: 53701111
Diverse småting Accessories Zubehör	**Fredensborg Indkøbscentral** Højvangen 10 3480 Fredensborg Tlf: 48475522 Fax: 48481241